2025
학년도 대비

강력한

세종대 자연계
수리논술 기출문제

─── 김근현 저 ───

일으킨바람

강력한 세종대 자연계 수리논술

기출문제

저자 소개

저자 김근현은 현재 탁트인 교육, 일으킨 바람, 에듀코어 대표이다.
前 메가스터디 온라인에서 대입 논술과 면접, 자기소개서, 학생부종합 등 다양한 동영상
강의를 하였다.
현재는 학습 프로그램 개발 및 연구 활동을 통해 교육의 발전을 고민하고 있다.
홍익대학교에서 전자전기공학부를 졸업하고 동대학원에서 전자공학 석사(반도체 레이저)를
전공하였다. 또한 연세대학교 교육경영최고위자 과정을 마쳤으며 연세대학교 교육대학원에서
평생교육 경영을 공부하고 있다.

강력한 세종대 자연계 수리논술 기출문제

발　행 | 2024년 03월11일
개정판 | 2024년 07월04일
저　자 | 김근현
펴낸이 | 김근현
펴낸곳 | 일으킨 바람
출판사등록 | 2018.11.12.(제2018-000186호)
주　소 | 경기도 고양시 일산서구 하이파크 3로 61 409동 1503호
전　화 | 031-713-7925
이메일 | ileukinbaram@gmail.com

ISBN | 979-11-93208-88-5

www.iluekinbaram.com

강력한 세종대 자연계

수리논술 기출문제

김근현 지음

차례

I. 세종대학교 논술 전형 분석

1. 논술 전형 분석

1) 전형 요소별 반영 비율

전형요소	논술	학생부(교과성적) (자연 : 국수영과)	총합
논술고사	70%	30%	100%

2) 학생부 교과 반영

30%

(ㄱ)　반영교과 및 반영비율

- 계열 구분 없이 국어, 수학, 영어, 과학 교과(편제) 반영
- 학년별 가중치 없음, 교과별 가중치 없음

※ 한국사는 포함하지 않음

대　상	인정범위	반　영　교　과
졸업(예정)자	1학년　1학기　～　3학년　1학기	국어,　영어,　수학,　과학

(ㄴ)　공통과목 및 일반선택과목

구분	등급	1등급	2등급	3등급	4등급	5등급	6등급	7등급	8등급	9등급
변환점수		1000	990	980	950	900	800	700	500	0

(ㄷ)　진로선택과목

- 반영교과에 해당하는 전 과목의 성취도를 등급으로 변환하여 반영

성취도	A	B	C
석차등급	1	3	5
변환점수	1000	980	900

(ㄹ)　변환 점수 평균

$$변환\,점수평균 = \frac{\sum(반영\,교과목\,석차등급\,변환점수 \times 반영교과목\,이수단위)}{\sum(반영교과목\,이수단위)}$$

(ㅁ)　학생부 반영 점수

$$학생부\,반영\,점수 = 변환점수평균 \times \frac{학생부\,교과\,반영\,총점}{1000}$$

(ㅂ)　논술 전형 30% 적용시 학생부 교과 반영 점수

구분	등급	1등급	2등급	3등급	4등급	5등급	6등급	7등급	8등급	9등급
30%		1000	990	980	950	900	800	700	500	0

3) 수능 최저학력 기준

국어, 수학, 영어, 과학탐구 중 1과목 중 *2개 영역* 등급의 *합 6* 이내

4) 논술 전형 결과

(ㄱ) 2024학년도 논술 전형 결과

모집 단위	모집 인원	지원 인원	논술응시 & 수능 최저 충족 인원	최종 등록 인원	경쟁률	실질 경쟁률	마지막 합격자 예비 번호	충원율 (예비 합격)
수학통계학과	10	309	131	9	30.90	13.10	6	60.00
물리천문학과	7	239	100	7	34.14	14.29	3	42.86
화학과	6	215	97	6	35.83	16.17	3	50.00
생명시스템학부	18	966	414	18	53.67	23.00	7	38.89
스마트생명산업 융합학과	3	117	55	3	39.00	18.33	-	-
전자정보통신공학과	26	1177	593	26	45.27	22.81	15	57.69
반도체시스템공학과	9	352	148	9	39.11	16.44	5	55.56
컴퓨터공학과	24	1178	503	23	49.08	20.96	13	54.17
정보보호학과	5	186	71	4	37.20	14.20	6	120.00
소프트웨어학과	10	427	204	10	42.70	20.40	9	90.00
AI로봇학과	34	1318	584	34	38.76	17.18	18	52.94
인공지능데이터 사이언스학과	25	991	450	24	39.64	18.00	4	16.00
건축공학과	8	329	132	8	41.13	16.50	3	37.50
건축학과	8	440	160	8	55.00	20.00	3	37.50
건설환경공학과	9	320	138	9	35.56	15.33	3	33.33
환경에너지공간 융합학과	8	323	139	8	40.38	17.38	2	25.00
지구자원시스템 공학과	7	259	121	7	37.00	17.29	9	128.57
기계공학과	12	472	196	12	39.33	16.33	4	33.33
우주항공드론공학부 우주항공공학전공	8	225	96	8	28.13	12.00	5	62.50
우주항공드론공학부 -지능형드론융합전공	13	413	167	13	31.77	12.85	5	38.46
나노신소재공학과	14	647	307	13	46.21	21.93	4	28.57
양자원자력공학과	3	72	28	3	24.00	9.33	-	-
자연계열 요약	267	10975	4834	262	41	18	-	-

모집 단위	최종 등록자 [학생부 등급 평균]				최종 등록자 [논술고사 성적]		
	최고	평균	70% Cut	최저	최고	평균	최저
수학통계학과	1.84	3.38	3.43	5.42	444.00	377.06	320.00
물리천문학과	2.91	3.56	3.85	3.97	450.00	332.14	290.00
화학과	2.63	3.57	4.58	4.58	385.00	359.17	335.00
생명시스템학부	2.80	3.64	3.90	5.03	435.00	360.28	320.00
스마트생명산업융합학과	3.97	4.99	5.13	5.88	390.00	358.33	310.00
전자정보통신공학과	2.52	3.95	4.14	5.28	415.00	363.75	335.00
반도체시스템공학과	3.40	4.42	4.65	5.18	477.50	408.50	357.00
컴퓨터공학과	2.85	3.78	4.06	5.10	600.00	445.98	385.00
정보보호학과	3.42	4.25	4.23	5.54	500.00	382.50	310.00
소프트웨어학과	3.30	4.37	4.73	5.66	500.00	453.00	415.00
AI로봇학과	2.44	3.89	4.28	5.56	510.00	387.43	322.50
인공지능데이터사이언스학과	2.63	4.06	4.49	5.55	490.00	411.25	360.00
건축공학과	3.24	3.60	3.89	4.03	392.50	355.00	337.50
건축학과	3.14	4.02	4.25	5.41	435.00	368.81	346.50
건설환경공학과	2.96	3.96	4.23	4.95	377.50	352.50	325.00
환경에너지공간융합학과	2.70	3.58	3.72	5.37	447.00	403.13	355.00
지구자원시스템공학과	2.89	3.74	4.18	4.74	412.50	345.71	325.00
기계공학과	2.35	3.53	3.84	4.37	410.00	371.96	336.50
우주항공드론공학부 - 우주항공공학전공	3.70	4.66	5.01	5.37	375.00	328.13	305.00
우주항공드론공학부 - 지능형드론융합전공	2.80	3.77	4.01	5.44	427.50	376.88	348.50
나노신소재공학과	2.07	3.39	3.76	4.67	405.00	357.69	330.00
양자원자력공학과	3.64	3.77	3.67	4.02	379.50	372.00	364.00
자연계열 요약	1.84	3.87	-	5.88	600.00	382.78	290.00

(ㄴ) 2023학년도 논술 전형 결과

모집단위	모집인원	지원인원	경쟁률	실질경쟁률	마지막 합격자 예비번호	충원율 (예비합격)	학생부교과 등급평균			논술고사성적	
							평균	70% Cut	최저	평균	최저
수학통계학과	8	258	32.25	14.38	4	50.00	4.03	4.39	5.42	518.13	500.00
물리천문학과	7	247	35.29	13.57	2	28.57	4.80	5.01	5,93	449.29	410.00
화학과	6	208	34.67	13.83	2	33.33	4.07	4.08	5.01	434.17	350.00
생명시스템학부	17	856	50.35	21.47	11	64.71	3.69	3.67	5.61	401.09	370.00
스마트생명산업 융합학과	3	95	31.67	9.33	-	-	4.49	4.57	4.83	343.33	260.00
전자정보 통신공학과	26	1,169	44.96	19.54	18	69.23	3.78	3.97	5.67	421.80	385.00
반도체 시스템공학과	9	344	38.22	17.78	4	44.44	3.93	4.34	5.25	458.33	420.00
컴퓨터공학과	24	1381	57.54	22.79	7	29.17	3.96	4.07	6.49	543.75	490.00
정보보호학과	5	191	38.20	14.80	3	60.00	3.85	4.34	4.73	476.00	440.00
소프트웨어학과	10	475	47.50	18.80	13	130.00	4.08	4.21	5.28	511.50	460.00
데이터 사이언스학과	7	245	35.00	15.57	3	42.86	3.97	4.24	4.80	468.57	430.00
지능기전공학과	25	1,026	41.04	17.28	14	56.00	4.08	4.65	5.79	452.30	390.00
인공지능학과	9	341	37.89	14.22	4	44.44	4.03	4.12	5.32	464.06	390.00
건축공학과	7	276	39.43	14.14	2	28.57	4.39	5.45	5.68	383.00	325.00
건축학과	8	390	48.75	18.38	5	62.50	4.17	4.92	5.25	463.75	367.50
건설환경공학과	9	325	36.11	13.44	1	11.11	4.62	4.83	5.81	416.11	375.00
환경에너지 공간융합학과	7	246	35.14	15.71	4	57.14	4.15	3.98	5.77	370.00	340.00
지구자원시스템 공학과	7	241	34.43	13.86	2	28.57	4.39	4.64	4.89	376.43	300.00
기계공학과	12	459	38.25	16.42	9	75.00	4.03	4.22	5.81	436.25	400.00
우주항공공학전공	8	289	36.13	14.25	6	75.00	3.39	3.63	4.17	410.94	370.00
나노신소재공학과	14	629	44.93	18,50	6	42.86	3.71	3.97	4.60	407.65	365.00
양자원자력공학과	3	96	32.00	12.00	4	133.33	3.78	3.42	4.65	420.00	410.00
자연계열 요약	231	9,787	42.37	17.37	-	-	4.01	-	6.49	446.60	260.00

(ㄷ) 2022학년도 논술 전형 결과

모집단위	모집인원	지원인원	경쟁률	실질경쟁률	마지막합격자예비번호	충원율(예비합격)	최종등록자[학생부등급평균]		최종등록자[논술고사성적]
							평균	70%Cut	평균
수학통계학부	6	154	25.67	8.00	3	50.00	3.31	2.99	372.92
물리천문학과	9	163	18.11	3.89	7	77.78	4.13	4.42	300.00
화학과	6	160	26.67	7.50	2	33.33	4.74	5.10	374.58
생명시스템학부	17	679	39.94	12.35	9	52.94	3.95	4.08	350.74
스마트생명산업융합학과	3	65	21.67	5.33	1	33.33	4.80	5.22	315.83
전자정보통신공학과	23	728	31.65	9.30	10	43.48	4.07	4.49	425.76
컴퓨터공학과	26	1,193	45.88	12.54	16	61.54	3.96	4.21	539.33
정보보호학과	6	183	30.50	9.00	1	16.67	4.58	4.54	526.67
소프트웨어학과	12	423	35.25	10.67	7	58.33	4.38	4.62	490.00
데이터사이언스학과	8	211	26.38	7.38	1	12.50	3.95	4.13	422.81
지능기전공학부	30	947	31.57	9.97	15	50.00	4.11	4.66	513.58
인공지능학과	12	345	28.75	7.92	4	33.33	4.19	4.46	440.42
건축공학부	8	204	25.50	8.13	8	100.00	4.56	5.09	238.13
건축학과	7	241	34.43	7.14	9	128.57	4.08	4.06	269.17
건설환경공학과	9	231	25.67	6.00	7	77.78	4.35	4.58	293.89
환경에너지공간융합학과	8	215	26.88	7.75	1	12.50	4.14	4.64	283.44
지구자원시스템공학과	8	184	23.00	7.25	7	87.50	4.26	4.60	281.88
기계항공우주공학부	21	679	32.33	7.67	14	66.67	3.88	4.03	301.75
나노신소재공학과	15	555	37.00	10.60	10	66.67	4.10	4.36	297.68
양자원자력공학과	4	89	22.25	3.50	2	50.00	4.63	4.65	231.25
자연계열 요약	238	7,649	32.13	9.04	-	-	4.13	5.22	395.47

(ㄹ)　2021학년도 논술 전형 결과

모집단위	모집 인원	지원 인원	경쟁률	실질 경쟁률	마지막 합격자 예비번호	충원율	최종등록자 [학생부등급평균]	
							평균	70% Cut
수학통계학부	6	157	26.17	7.33	2	33	3.99	4.53
물리천문학과	9	184	20.44	4.56	5	56	3.63	4.38
화학과	6	167	27.83	8.00	7	117	4.1	4.45
생명시스템학부	17	607	35.71	11.06	10	59	4.4	5.01
스마트생명산업융합학과	3	61	20.33	6.67	2	67	3.81	3.96
전자정보통신공학과	23	652	28.35	8.74	18	78	4.12	4.39
컴퓨터공학과	26	878	33.77	10.58	9	35	3.75	3.97
정보보호학과	6	149	24.83	6.00	-	-	4.45	4.54
소프트웨어학과	12	330	27.50	9.00	4	33	4.19	4.58
데이터사이언스학과	8	196	24.50	7.88	6	75	4.14	4.54
지능기전공학부	30	827	27.57	9.37	18	60	3.77	4.15
인공지능학과	12	309	25.75	7.58	5	42	4.08	4.19
건축공학부	15	474	31.60	8.40	13	87	3.84	3.99
건설환경공학과	9	225	25.00	5.56	4	44	4.06	5.04
환경에너지공간융합학과	8	227	28.38	7.00	8	100	4.65	4.91
지구자원시스템공학과	8	196	24.50	7.88	1	13	4.38	4.62
기계항공우주공학부	21	662	31.52	8.95	16	76	4.15	4.23
나노신소재공학과	15	597	39.80	12.00	11	73	3.48	4.05
양자원자력공학과	4	77	19.25	3.00	1	25	3.87	3.93
자연계열 요약	238	6975	29	9	-	-	4.01	5

2. 논술 분석

구분	자연계열
출제 근거	고교 교육과정 내 출제
출제 범위	수학, 수학Ⅰ, 수학Ⅱ, 미적분 ※ '확률과 통계' 및 '기하'는 출제범위에서 제외 **(교재 중 2021학년도 기출문제 및 모의고사에서 *확률과 통계는 제외*)**
논술유형	수리논술형
문항 수	대문항 3문항 (소문항 9문항)
답안지 형식	밑줄형
고사 시간	120분

1) 출제 구분 : 계열 구분

2) 출제 유형 : 수리논술형

3) 출제 및 평가내용 :

● 고교 교육과정에서 제시된 여러 단원의 개념에 대한 이해도 및 개념을 융합적으로 사고할 수 있는지 등을 종합적으로 평가

3. 출제 문항 수

구분	자연계
문항수	3문항 (대문항 3문항, 세부문항 9문항) (2021학년도 기출문제 및 모의문제 중 확률과 통계는 제외)

4. 시험 시간

· **120분**

5. 논술 유의사항

1. 수험표 및 신분증, 필기구(컴퓨터용 사인펜, 답안작성용 검정색(흑색) 볼펜, 문제풀이용 필기구)를 반드시 지참하시기 바랍니다.

※ 지정된 준비물 외의 전자시계, 휴대폰, 카메라 등 전자기기 및 통신기기는 일절 고사실 내에서 사용할 수 없으며 논술고사 중 전자 기기 및 통신기기의 전원이 켜져 있거나 진동이 울릴 경우 부정행위자로 간주되어 결격처리될 수 있습니다.

2. 논술고사 고사장 입실가능시간을 초과하여 지각하거나 논술고사에 결시할 경우 불합격 처리됩니다.

3. 수험생이 지원한 모집단위가 아닌 고사시간에 응시하는 경우 불합격 처리 되므로 반드시 지원한 모집단위의 논술고사일정을 확인하기 바랍니다.

4. 논술고사는 자유좌석제로 배정된 고사장의 원하는 자리에 착석하시어 논술고사를 진행하시면 됩니다.

5. 논술고사의 총 고사시간은 2시간, 총 120분이며 고사종료 10분 전에는 답안지 교환이 불가능합니다.

6. 문제지 및 답안지 배부 후에는 고사종료 시까지 퇴실할 수 없으며, 퇴실 시 중도포기로 간주하여 불합격처리 됩니다.

7. 답안 작성 및 수정 시에는 개인이 지참한 검정색(흑색) 볼펜만 사용이 가능(다른 색의 필기구 및 샤프, 연필 사용 불가)하며, 답안의 내용을 수정할 때는 두 줄을 긋고 수정(인문계열은 두 줄 위에 이어서 작성)하며, 수정액 또는 수정테이프를 사용할 경우 결격처리 될 수 있습니다. ※ 수정액 및 수정테이프 사용 금지

8. 답안의 작성영역을 벗어나지 않도록 각별히 유의하며 문제와 관계없는 불필요한 내용이나 자신의 신분을 드러내는 내용이있는 인적 사항 및 답안을 표기하는 경우 결격 처리 될 수 있습니다.

II. 기출문제 분석

1. 출제 경향

학년도	교과목	질문 및 주제
2024학년도 수시 논술(A형)	수학Ⅱ, 미적분	극값, 수열의 극한
	수학Ⅱ, 미적분	변곡점, 역함수의 미분법
	수학Ⅱ, 미적분	적분과 미분의 관계, 치환적분
2024년도 수시 논술(B형)	수학Ⅰ	수열의 귀납적 정의
	수학Ⅱ, 미적분	그래프의 개형, 치환적분, 부분적분
	수학Ⅰ, 수학Ⅱ, 미적분	사인법칙, 대칭함수, 최솟값
2023학년도 수시 논술(A형)	수학Ⅱ, 미적분	함수의 극한, 치환적분법, 부분적분법, 음함수의 미분법, 이계도함수, 극대, 극소, 함수의 그래프
2023년도 수시 논술(B형)	수학, 미적분	역함수의 미분법, 평행이동, 대칭이동, 부분적분법, 치환적분법, 이계도함수, 함수의 그래프
2022학년도 수시 논술(A형)	수학II, 미적분	함수의 그래프, 도함수, 이계도함수, 증가함수, 극대, 극소, 변곡점
2022학년도 수시 논술(B형)	수학II, 미적분	삼각함수, 함수의 극한, 미분계수, 치환적분법, 정적분, 대칭, 최대, 최소, 역함수의 미분법
2022학년도 수시 논술(C형)	수학II, 미적분	치환적분법, 부분적분법, 역함수의 미분법, 삼각함수, 함수의 극한, 정적분, 접선의 방정식, 미분계수, 적분과 미분의 관계, 곡선의 길이
2021학년도 수시 논술(A형)	미적분	거리, 합성함수 미분, 치환적분법, 이계도함수, 여러 가지 미분법
2021학년도 수시 논술(B형)	수학II, 미적분	도함수, 정적분, 극값, 증가, 감소 미분가능, 평균값 정리, 이계도함수, 극솟값
2021학년도 수시 논술(C형)	수학II, 미적분	미분 가능, 여러 가지 미분법, 증가, 치환적분법, 급수의 합, 수열의 극한
2021학년도 수시 논술(D형)	수학II, 미적분	도함수, 극값, 증가, 감소, 정적분 거리, 여러 가지 미분법, 치환적분법

2. 출제 의도

학년도	출제의도
2024학년도 수시 논술(A형)	● 함수의 극값을 구하고 극한을 계산할 수 있는지를 평가한다. ● 변곡점과 역함수의 미분법을 이해하고 응용할 수 있는지를 평가한다. ● 적분과 미분의 관계식을 이용하고 응용할 수 있는지를 평가한다.
2024학년도 수시 논술(B형)	● 수열의 귀납적 정의를 이용하여 주어진 문제를 해결할 수 있는지를 평가한다. ● 도함수의 성질과 그래프의 개형을 이해하고, 치환적분과 부분적분을 이용하여 문제를 해결할 수 있는지를 평가한다. ● 주어진 조건을 이용하여 함수를 구성하고, 함수의 대칭을 이용하여 문제를 해결할 수 있는지를 평가한다.
2023학년도 수시 논술(A형)	● 주어진 조건을 만족하는 함수의 극한과 적분을 계산할 수 있는지를 평가한다. ● 음함수의 도함수와 이계도함수를 이해하고 있는지를 평가한다. ● 삼차함수의 그래프의 개형과 극댓값, 극솟값 및 미분가능성을 이용하여 주어진 문제를 해결할 수 있는지를 평가한다.
2023학년도 수시 논술(B형)	● 역함수의 미분법을 이용하여 역함수의 미분계수를 계산하고, 이를 이용하여 주어진 문제를 해결할 수 있는지 평가한다. ● 주어진 조건을 만족시키는 함수의 적분을 계산할 수 있는지를 평가한다. ● 주어진 조건으로부터 함수를 찾고, 함수의 볼록성을 이해하는지를 평가한다.
2022학년도 수시 논술 A	● 변곡점을 이해하고 함수의 최솟값을 계산할 수 있는지를 평가한다. ● 함수의 극한의 대소 관계를 이용하여 도함수를 구할 수 있는지를 평가한다. ● 극솟값, 극댓값, 변곡점에 대한 그래프에서의 기하학적인 의미를 이해하고, 이를 이용하여 주어진 문제를 해결할 수 있는지를 평가한다.
2022학년도 수시 논술 B	● 삼각함수, 함수의 극한, 미분계수에 관한 개념과 성질을 이해하고 활용할 수 있는지를 평가한다. ● 치환적분과 적분의 성질을 이용하여 적분을 계산하고 미분을 이용하여 주어진 조건을 만족시키는 함수를 구할 수 있는지를 평가한다 ● 주어진 조건을 만족시키는 그래프의 개형을 파악한 뒤 역함수의 미분법을 이용하여 문제를 해결할 수 있는지를 평가한다.

학년도	출제의도
2021학년도 수시 논술 C	● 부분적분법과 치환적분법을 이용하여 문제를 풀 수 있는지를 평가한다. ● 삼각함수의 덧셈정리, 함수의 극한, 정적분, 원과 직선의 위치 관계 등을 이해하고 활용할 수 있는지를 평가한다. ● 곡선의 길이와 미분과 적분의 관계 등을 이용하여 주어진 문제를 해결할 수 있는지를 평가한다.
2021학년도 수시 논술 A	● 곡선의 길이를 적분으로 표현하고 치환적분과 합성함수 미분을 활용하여 문제를 해결할 수 있는지를 평가한다. ● 합성함수의 이계도 함수를 이용하여 문제를 해결할 수 있는지를 평가한다.
2021학년도 수시 논술 B	● 적분과 미분의 관계, 곡선의 길이, 함수의 극값, 접선, 넓이에 대한 이해도를 평가한다. ● 미분계수의 정의와 기하학적 의미와 이해하고, 평균값 정리를 활용할 수 있는지를 평가한다.
2021학년도 수시 논술 C	● 합성함수와 역함수의 미분을 계산할 수 있는지를 평가한다. ● 적분의 정적분과 급수의 합 사이의 관계를 이해하고 치환적분을 활용할 수 있는지를 평가한다.
2021학년도 수시 논술 D	● 적분과 미분의 관계, 함수의 최댓값, 접선의 방정식, 넓이에 대한 이해도를 평가한다. ● 매개변수 함수로 주어진 점이 움직인 거리를 적분으로 표현하고 주어진 문제를 해결할 수 있는지를 평가한다.

3. 기출 연도별 교육과정 내용

학년도별 출제 여부 고등학교 교육과정 내용			2015 개정 교육과정										
교과목	영역	내용	24 수시 A	24 수시 B	23 수시 A	23 수시 B	22 수시 A	22 수시 B	22 수시 C	21 수시 A	21 수시 B	21 수시 C	21 수시 D
수학	다항식	다항식의 연산											
		나머지정리											
		인수분해											
	방정식과 부등식	복소수와 이차방정식											
		이차방정식과 이차함수											
		여러 가지 방정식											
		여러 가지 부등식											
	도형의 방정식	평면좌표											
		직선의 방정식											
		원의 방정식											
		도형의 이동			○								
	집합과 명제	집합											
		명제											
	함수	함수											
		유리함수와 무리함수											
	경우의 수	경우의 수											
수학 I	지수함수와 로그함수	지수											
		로그											
		지수함수와 로그함수											
	삼각함수	삼각함수		○				○					
		사인법칙과 코사인법칙											
	수열	등차수열과 등비수열											
		수열의 합											
		수학적 귀납법		○									

| 학년도별 출제 여부 고등학교 교육과정 내용 | | | 2015 개정 교육과정 | | | | | | | | | | |
교과목	영역	내용	24 수시 A	24 수시 B	23 수시 A	23 수시 B	22 수시 A	22 수시 B	22 수시 C	21 수시 A	21 수시 B	21 수시 C	21 수시 D
수학 II	함수의 극한과 연속	함수의 극한			○		○	○	○				
		함수의 연속											
	미분	미분계수와 도함수					○	○	○			○	
		도함수의 활용	○	○	○	○	○	○			○	○	○
	적분	부정적분과 정적분	○				○	○			○		○
		정적분의 활용							○				
미적분	수열의 극한	수열의 극한	○									○	
		급수										○	
	미분법	여러 가지 함수의 미분		○							○	○	
		여러 가지 미분법	○		○	○	○	○	○	○		○	○
		도함수의 활용				○	○		○				○
	적분법	여러 가지 적분법	○	○	○	○		○	○	○	○	○	○
		정적분의 활용							○	○	○	○	○

III. 논술이란?

1. 논술이란?

1) 논술이란?

어떤 문제에 대해 자기 나름의 주장이나 견해를 내세운 다음, 여러 가지 근거를 제시하여 그 주장이나 견해가 옳음을 증명하는 글쓰기 활동을 말한다. 따라서 논술의 가장 기본적인 요소는 주장과 근거이다. 다시 말해 어떤 주제에 관해서 자신의 견해를 밝히고 자기 의견을 내세우는 글이 바로 논술이다. 때문에 논술은 특별히 논리적이어야 한다는 요구를 받게 된다. 왜냐하면 여러 가지 의견이 있을 수 있는 문제에 대해 자신의 의견을 세워 다른 사람을 설득하려면, 그 주장이 충분한 근거 위에서 논리적으로 개진될 때만 가능하기 때문이다.

2) 대한민국 논술고사는?

한국에서의 대학 입시 논술고사는 실제 교과 과정과 교과서가 기본이 되어 응용된 사고와 풀이 능력과 지식을 바탕으로 한다. 논술고사는 일반적을 비판적으로 글을 읽는 능력과 창의적으로 문제를 설정하고 해결하는 능력 그리고 논리적으로 서술하는 능력을 종합적으로 평가하는 시험이다. 비판적으로 글을 읽는다는 것은 능동적으로 자신의 관점에서 글을 읽는 것을 말하며, 창의적으로 문제를 설정하고 해결하는 능력이란 심층적이고 다각적으로 논제에 접근함으로써 독창적인 사고와 풀이를 이끌어낼 수 있는 능력을 말한다. 그리고 논리적 서술 능력은 글 구성 능력, 근거 설정 능력, 표현 능력 등을 포괄한다.

3) 자연계 논술? 그리고 그 변화

모든 글은 일반적으로 3가지 종류로 나뉘어진다. 시, 소설 등 문학 작품과 같은 글쓰기인 창작적 글쓰기(creative writing)와 설명문이나 해설문의 글쓰기는 해명적 글쓰기(expository writing), 그리고 논설문의 글쓰기인 비판적 글쓰기(critical writing)가 있다. 이 글쓰기 중 대한민국의 대학입시에서 시행되고 있는 자연계 논술은 창작적 글쓰기는 포함되지 않는다. 새로운 문학 작품을 쓰는게 아니라 제시문을 읽고 내용을 구체화시켜 잘 설명하는 설명문의 형태가 있고, 주어진 문제에 대해 생각하고 깊이있는 주장을 피력하는 비판적 글쓰기도 있다.

2. 논술의 기본 용어

1) 논제 : 논술의 문제를 의미한다.
반드시 해결하고 접근하여야 할 논술 시험의 대상이다.
  - (ㄱ) 중심 논제 : 채점할 때 가장 배점이 높으며, 핵심적으로 해결해야 할 논술의 문제
  - (ㄴ) 세부 논제 : 큰 논제 속에 포함된 작은 문제, 각 단계별 채점의 기준이 되며 세부 채점 항목으로 필수 해결 항목이다.
2) 논거 : 논술에서 설명하고 주장하는 논리적인 근거 혹은 이유

3) 주장 : 수험생이 생각하고 채점자에게 알리고 싶은 생각

4) 제시문 : 보기 지문을 말한다.
  (ㄱ)   출제자가 논제 해결을 위해 보여주는 다양한 글
  (ㄴ)   각종 그래프, 도표, 그림 등
      자료가 정해져 있지는 않다. 하지만 고등학교 교과서를 가장 많이 인용하
      고, 고등학교 교과 과정으로 분석하고 판단할 수 있는 내용을 제시한다.

5) 개요 : 논제에 맞게 더 구체적으로는 세부 논제에 맞게 글의 진행 방향을 간략하
   게 정리하는 과정이다.

4. 논술의 명령어

논술고사 후 대학의 발표 자료를 보면 논술은 출제자의 의도에 부합하게 글을 써야 한다
고 강조한다. 그런데 출제자의 의도를 파악하는 것은 자칫 상당히 모호하고 주관적인 것
으로 판단하기 쉽다.

하지만 자연계 논술에서는 명령어가 한정되어 있다. 그 명령어들을 잘 익히고 의미를 파
악한다면 훨씬 논술의 이해가 높아질 것이다. 또한 대학의 채점 기준에는 명령어의 요구
조건을 충족하는지를 평가한다. 그러므로 자연계 논술의 명령어는 수험생에게는 아주 기
초적이지만 필수적이며 절대 잊지 말아야 할 중요한 핵심이다.

1) ~ 에 대해 논술하시오.

; 주장을 밝히고 근거를 제시한다.

2) ~ 에 대해 설명하시오.

: 사실, 주장 등을 쉽게 풀어서 밝힌다.

● ~ 제시문 간의 관련성을 설명하시오.
● ~ 제시문의 논리적 타당성과 문제점을 설명하시오.
● ~ 제시문을 참고하여 주어진 자료의 특징을 설명하시오.
● ~ 제시문의 관점에서 왜 그런 현상이 생기는지 그 이유를 설명하시오.

3) ~ 의 비교하시오. 혹은 대조하시오.

: 공통점과 차이점을 중심으로 설명한다.

● ~ 공통점과 차이점을 설명하시오.

4) ~ 을 분석하시오.

: 주제를 구성요소로 나누고 각 부분의 의미와 상호관계를 밝힌다.

5) ~ 제시문과 주어진 자료를 참고하여 현상을 예측해 보시오.

: 주어진 자료를 해석하고 자료로부터 얻을 수 있는 시간에 따른 변화나 자료의 발
생 이유를 살핀다.

6) ~ 제시문의 문제점을 지적하고 그 문제점을 해결할 방법을 제시하시
   오.

: 보통은 수학이나 과학의 역사에서 발생했던 여러 오류나 실험과정에서 나타난 문

제점을 가지고 있다. 또한 이론이나 실험, 학생의 실험보고서 등과 같이 확실한 오류가 있는 제시문을 주기도 한다. 분명히 문제점을 파악하여 답안에 서술하고 문제점이나 해결할 수 있는 방법 등을 명확히 하여야 한다.

> ● ~ 제시문의 관점에서 왜 그런 현상이 생기는지 그 원리를 설명하고 그런 현상을 예방할 수 있는 방안을 제시하시오.
> ● ~ 문제점을 지적하고 합리적 대안을 제안해 보시오.
> ● ~ 주어진 관점을 검증할 수 있는 방법을 논하시오.
> ● ~ 주어진 문제점을 해결할 수 있는 실험을 설계해 보시오.

   7) 제시문의 관점에서 주장을 비판하시오.
      : 어떤 주장의 타당성이나 가치 등을 평가한다.

5. 자연계 논술 글쓰기 유의사항

   ① 논제의 해결이 핵심이다. 출제자가 원하는 답을 써야 한다.
   ② 논제에 부합하는 글을 일관성 있게 써야 한다.
   ③ 한편의 글을 완성하여야 한다. 나열하거나 사례를 보여주는 것은 의미가 없다.
   ④ 제시문을 활용, 인용하는 것과 제시문을 그대로 옮겨 쓰는 것은 다르다. 적절하게 제시문의 내용을 사용하여 논제를 해결하여야 한다. 절대 제시문의 문장을 그대로 쓰면 안 된다. 금기사항이고 감점요인이다.
   ⑤ 부적절한 문장 즉, 비문을 만들지 말아야 한다. 주어와 서술어가 적절하게 있어 문장의 의미를 명확히 전달하여야 한다. 주어를 생략하거나 지시어를 과도하게 사용하면 문장의 의미가 모호해 진다.
   ⑥ 문장은 짧고 간결하게 써야 한다. 자신의 의견을 명확히 간결하고 효과적으로 밝혀야 한다.

6. 논술 확인 사항

1. 답안지는 지급된 흑색 볼펜으로 원고지 사용법에 따라 작성하여야 합니다.
(수정액 및 수정테이프 사용 금지)
2. 수험번호와 생년월일을 숫자로 쓰고 컴퓨터용 사인펜으로 ● 표기하여야 합니다.
3. 답안의 작성 영역을 벗어나지 않도록 각별히 유의 바라며, 인적사항 및 답안과
. 관계없는 표기를 하는 경우 결격 처리 될 수 있습니다.
4. 제시된 작성 분량 미 준수 시 감점 처리됨을 유의 바랍니다.

IV. 자연계 논술 실전

1. 각 대학별 논술 유의사항을 파악하라!

많은 대학에서 글자수 제한을 확인하여야 한다. 그래서 원고지 형이 많지만, 문항별 칸을 만들거나 밑줄 답안 형식도 있다. 논술 시험 시간은 각 대학별로 다양하다. 60분 즉, 한 시간을 시작으로 많게는 2시간까지 (120분)까지 다양하게 있다. 대학별로 준비해야 하는 중요한 이유이다. 답안을 작성하는 필기구도 다양하다. 연필(샤프펜)의 사용이 꾸준히 증가하지만 아직까지 검정색 볼펜이나 청색 볼펜으로 사용하는 학교도 많다. 주의할 것은 수정법이다. 수정은 학교에 따라 수정액, 수정테이프의 사용을 제한하는 경우도 있고 틀리면 두줄을 긋고 써야 하는 곳도 있다. 그러므로 각 대학별 특징을 파악하고, 미리 답안 작성 연습은 물론이고 작성할 때도 대학별로 금지하는 내용을 숙지하고 시험장에 가야 한다.

각 대학별 유의사항 사례

사례 1)

가. 답안은 한글로 작성하되, 글자수 제한은 없다.

나. 제목은 쓰지 말고 특별한 표시를 하지 말아야 한다.

다. 제시문 속의 문장을 그대로 쓰지 말아야 한다.

라. 반드시 본 대학교에서 지급한 필기구를 사용하여야 한다.

마. 수정할 부분이 있는 경우 수정도구를 사용하지 말고 원고지 교정법에 의하여 교정하여야 한다.

바. 본 대학교에서 지급한 필기구를 사용하지 않거나, 수정도구를 사용한 경우, 답안지에 특별한 표시를 한 경우, 또는 원고지의 일정분량 이상을 작성하지 않은 경우에는 감점 또는 0점 처리한다.

사례 2)

Ⅰ. 필요한 경우 한 개 또는 여러 개의 제시문을 선택하여 논의를 전개하고, 사용한 제시문은 꼭 참고문헌 형태로 표시하시오.

　　예) …[제시문 1-4].

　　예) …되며[제시문 2-4], …의 경우는 ~을 보여준다[제시문 2-1].

Ⅱ. [문제 1]부터 [문제 4]까지 문제 번호를 쓰고 순서대로 답하시오.

Ⅲ. 연필을 사용하지 말고, 흑색이나 청색 필기구를 사용하시오.

Ⅳ. 인적사항과 관련된 표현을 일절 쓰지 마시오.

Ⅴ. 문제당 배점은 동일함.

사례 3)

◇ 각 문제의 답안은 배부된 OMR 답안지에 표시된 문제지 번호에 맞춰 작성하시오.

◇ 각 문제마다 정해진 글자수(분량)는 띄어쓰기를 포함한 것이며, 정해진 분량에 미달하

거나 초과하면 감점 요인이 됩니다.

◇ 답안지의 수험번호는 반드시 컴퓨터용 수성 사인펜으로 표기하시오.

◇ 답안은 검정색 필기구로 작성하시오. (연필 사용 가능)

◇ 답안 수정시 원고지 교정법을 활용하시오. (수정 테이프 또는 연필지우개 사용 가능)

◇ 답안 내용 및 답안지 여백에는 성명, 수험번호 등 개인 신상과 관련된 어떤 내용, 불필요한 기표하면 감점 처리됩니다.

사례 4)

◆ 답안 작성 시 유의사항 ◆

□ 논술고사 시간은 90분이며, 답안의 자수 제한은 없습니다.

□ 1번 문항의 답은 답안지 1면에 작성해야 하고, 2번 문항의 답은 답안지 2면에 작성해야 합니다. 1, 2번을 바꾸어 작성하는 경우 모두 '0점 처리'됩니다.

□ 연습지는 별도로 제공하지 않습니다. 필요한 경우 문제지의 여백을 이용하시기 바랍니다.

□ 답안은 검정색 또는 파란색 펜으로만 작성하며 연필, 샤프는 사용할 수 없습니다.

□ 답안 수정은 수정할 부분에 두 줄로 긋거나 수정테이프(수정액은 사용 불가)를 사용해서 수정합니다.

□ 답안지에는 답 이외에 아무 표시도 해서는 안 됩니다.

□ 답안지 교체는 고사 시작 후 70분까지 가능하며, 그 이후는 교체가 불가합니다.

2. 제시문에 먼저 눈을 두지 말고 문제를 파악하라!!!

대학별 고사인 논술의 어려운 점은 시간의 제한이 있는 글쓰기 시험이라는 것이다. 자유롭게 잘 쓸 수 있는 내용일지라도 시간의 제한이 있으면 얘기가 달라진다. 특히 지금과 같이 각 대학별로 다양하게 등장하는 시험에 익숙하지 않은 수험생에게는 더 큰 부담으로 작용을 한다.

대학에서는 다양하게 제시문과 문제를 분포시킨다. 문제를 등장시키고 제시문이 등장하는 경우, 그림과 도표, 그래프 등과 같이 자료를 제시하고 제시문과 문제를 함께 등장시키는 경우, 제시문을 많이 등장시키고 마지막에 문제를 제시하는 경우 등... 이렇듯 다양한 문제에 시간의 적절한 활용은 대학별 고사의 실전에서는 당락을 결정하는 중요 요소이다.

이러한 실전적 논술에서 핵심은 바로 목적을 가지고 제시문의 읽기가 선행되어야 한다. 글 읽기의 핵심은 문제를 통해 논제를 구체적으로 파악하고 그 논제에 부합하게 제시문을 분석하는 것이다.

① 문제를 먼저 확인하라!! - 제시문을 읽고 문제를 보면 다시 긴 제시문을 또 읽어 시간을 낭비한다.

② 세부 논제 확인하라!! - 한 문제라도 그 문제 속에 다루는 논제는 여러 개가 될 수 있

다. 그 질문 내용을 파악하라. 그리고 요구한 논제에 맞게 글을 구성한다.
 ③ 전제적 요건 파악하라!! - 각 문제의 전제적 요건 및 글로 표현된 부연 설명 등이 중요한 키워드가 될 수 있다.

V. 세종대학교 기출

1. 2024학년도 세종대 수시 논술 (A형)

[문제 1] 실수 전체의 집합에서 다음과 같이 정의되는 함수 $f(x)$에 대하여 아래 물음에 각각 답하시오. (단, n은 자연수이다.)

$$f(x) = \begin{cases} -\displaystyle\int_0^x \frac{(t+3)(t+1)}{(n+3)(n+1)}dt & (x < 0) \\ \displaystyle\int_0^x \left\{ \frac{t^3}{n^3} - \frac{(t+3)(t+1)}{(n+3)(n+1)} \right\}dt & (x \geq 0) \end{cases}$$

(1-1) $x < 0$일 때 $f(x)$의 극솟값을 구하시오. (70점)

(1-2) 함수 $f(x)$의 최솟값을 구하시오. (80점)

(1-3) 곡선 $y = f(x)$위의 점 중에서 접선의 기울기가 0인 점을 꼭짓점으로 갖는 삼각형의 내각 중에서 가장 큰 각의 크기를 θ_n이라 할 때, $\displaystyle\lim_{n \to \infty} \tan\theta_n$을 구하시오. (80점)

[문제 2] 최고차항의 계수가 1인 사차함수 $f(x)$는 다음 조건을 만족시킨다.

> (가) 곡선 $y = f(x)$는 서로 다른 두 점 $A(a, f(a))$, $B(b, f(b))$에서 직선 $y = 2x + 1$에 접한다. (단, $a < b$)
>
> (나) 두 점 A와 B사이의 거리는 $\sqrt{5}$이다.
>
> (다) $f'(c) = 2$를 만족시키는 $c(a < c < b)$에 대하여, $a + b + c = \dfrac{3}{2}$이다.

(2-1) c의 값을 구하시오. (70점)

(2-2) $a < x < c$에서 $f(x)$의 역함수가 존재함을 보이고, $f(a) < x < f(c)$인 x에 대하여 $\left(f^{-1}\right)'(x)$의 최솟값을 구하시오. (80점)

(2-3) 곡선 $y = f(x)$위의 두 변곡점 $(\alpha, f(\alpha))$, $(\beta, f(\beta))$를 지나는 직선의 방정식을 $y = L(x)$라 하고, $y = f(x)$와 $y = L(x)$의 교점의 x좌표의 최댓값을 k라 하자. 이때, 점 $P(k + 2f(k), 0)$과 곡선 $y = \dfrac{1}{2}\{f(x) + L(x) + |f(x) - L(x)|\}$위의 점 Q에 대하여, 선분 PQ의 길이가 최소가 되도록 하는 점 Q의 x좌표를 구하시오. (80점)

[문제 3] 실수 전체의 집합에서 정의된 함수 $f(x) = \int_0^x te^{-(t-x)^2}dt$에 대하여

$\int_0^2 e^{-x^2}dx = A$라 할 때, 다음 물음에 각각 답하시오.

(3−1) $f'(2)$를 A의 식으로 나타내시오. (80점)

(3−2) $0 < x \leq 2$에서 함수 $\dfrac{f(x)}{x}$의 최댓값을 A의 식으로 나타내시오. (80점)

(3−3) $\displaystyle\lim_{x \to 0}\dfrac{\{f(x)\}^5 f'(x)}{x^{11}}$의 값을 구하시오. (80점)

【1-1】 반드시 해당문항과 일치하여야 함

【1-2】 반드시 해당문항과 일치하여야 함

【1-3】 반드시 해당문항과 일치하여야 함

이 줄 아래로 답안을 작성하거나 낙서할 경우 판독이 불가능하여 채점 불가함

28

이 줄 위로 답안을 작성하거나 낙서할 경우 판독이 불가능하여 채점 불가함

【2-1】 반드시 해당문항과 일치하여야 함

【2-2】 반드시 해당문항과 일치하여야 함

【2-3】 반드시 해당문항과 일치하여야 함

이 줄 아래로 답안을 작성하거나 낙서할 경우 판독이 불가능하여 채점 불가함

【3-1】 반드시 해당문항과 일치하여야 함

【3-2】 반드시 해당문항과 일치하여야 함

【3-3】 반드시 해당문항과 일치하여야 함

이 줄 아래로 답안을 작성하거나 낙서할 경우 판독이 불가능하여 채점 불가함

2. 2024학년도 세종대 수시 논술 (B형)

[문제 1] 모든 항이 자연수인 수열 $\{a_n\}$이 모든 자연수 n에 대하여 다음 조건을 만족시킨다.

(가) $a_n < 10$이면 $a_{n+1} = 2a_n$

(나) $a_n \geq 10$이고 a_n이 짝수이면 $a_{n+1} = \dfrac{a_n}{2} + n + 1$

(다) $a_n \geq 10$이고 a_n이 홀수이면 $a_{n+1} = \dfrac{a_n + 1}{2}$

(1−1) a_2가 홀수인 경우 a_2의 최솟값을 구하고, 이때 가능한 a_1의 값을 모두 구하시오. (70점)

(1−2) a_2와 a_3이 모두 10이하의 짝수인 경우 a_1의 최댓값을 구하시오. (80점)

(1−3) $a_6 = 12$인 경우 a_4의 최솟값과 최댓값을 각각 구하시오. (80점)

[문제 2] 실수 전체의 집합에서 정의된 함수 $f(x) = (1 + |x|^3)^{-2}$에 대하여 함수 $g(x)$를 다음과 같이 정의한다.

$$g(x) = \int_x^{x+4} f(t)dt$$

(2−1) $f'(x) < 0$을 만족시키는 실수 x의 값의 범위를 구하시오. 또한 $f''(x) < 0$을 만족시키는 실수 x의 값의 범위를 구하시오. (70점)

(2−2) 함수 $y = f(x)$의 그래프의 개형을 그리시오. 또한 함수 $g(x)$가 $x = a$에서 최댓값을 가질 때, a의 값을 구하시오. (80점)

(2−3) (2−2)의 a에 대하여 $\int_0^a t^3 f(t)dt = S$라고 할 때, $g(a) - 4S$의 값을 구하시오. (80점)

[문제 3] 그림과 같이 좌표평면에 중심이 O_1, O_2이고 반지름의 길이가 r, s인 두 원 C_1, C_2가 있다. 두 점 O_1, O_2사이의 거리는 1이다. (단, $0 < r < 1$, $0 < s < 1$) C_1과 C_2의 교점 중 하나를 P라 할 때, 점 P에서 두 원의 접선이 이루는 예각이 $\dfrac{\pi}{6}$이다.

$\angle PO_1O_2 = \alpha$라 하고, 굵은 선으로 표시된 8모양의 도형의 길이를 $f(\alpha)$라 하자.

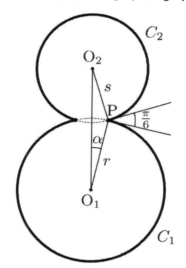

(3-1) $\angle PO_2O_1$의 크기를 α의 식으로 나타내고 α의 범위를 구하시오. 또한 $f(\alpha)$를 구하시오. (80점)

(3-2) 위의 그림에서 C_2중 굵은 선으로 표시된 ○모양의 호의 길이를 $g(\alpha)$라 할 때, $a < g'(\alpha) < b$이다. a의 최댓값과 b의 최솟값을 각각 구하시오. (80점)

(3-3) $f(\alpha)$가 최소가 되도록 하는 α의 값을 구하시오. (80점)

【1-1】 반드시 해당문항과 일치하여야 함

【1-2】 반드시 해당문항과 일치하여야 함

【1-3】 반드시 해당문항과 일치하여야 함

이 줄 아래로 답안을 작성하거나 낙서할 경우 판독이 불가능하여 채점 불가함

이 줄 위로 답안을 작성하거나 낙서할 경우 판독이 불가능하여 채점 불가함

【2-1】반드시 해당문항과 일치하여야 함

【2-2】반드시 해당문항과 일치하여야 함

【2-3】반드시 해당문항과 일치하여야 함

이 줄 아래로 답안을 작성하거나 낙서할 경우 판독이 불가능하여 채점 불가함

【3-1】 반드시 해당문항과 일치하여야 함

【3-2】 반드시 해당문항과 일치하여야 함

【3-3】 반드시 해당문항과 일치하여야 함

이 줄 아래로 답안을 작성하거나 낙서할 경우 판독이 불가능하여 채점 불가함

3. 2024학년도 세종대 모의 논술

[문제 1] 모든 항이 자연수인 수열 $\{a_n\}$이 다음 조건을 만족시킨다.

(가) $a_5 = 4$이고 $a_2 < 200$

(나) 모든 자연수 n에 대하여 $a_{n+2} = \begin{cases} 2a_n & (a_{n+1} \le 80) \\ a_{n+1} - 80 & (a_{n+1} > 80) \end{cases}$

(1−1) (70점) a_2의 최댓값을 구하시오.

(1−2) (80점) a_1이 될 수 있는 서로 다른 모든 수의 합을 구하시오.

(1−3) (80점) $a_8 \le 90$일 때, a_9가 될 수 있는 서로 다른 모든 수의 합을 구하시오.

[문제 2] 실수 전체의 집합에서 정의된 함수 $f(x)$에 대하여 $y = f(x)$라 할 때 $e^{x+y} + y - x = 0$이 성립한다.

(2-1) (70점) 곡선 $y = f(x)$위의 점 $\left(\dfrac{1}{2}, -\dfrac{1}{2} \right)$에서의 접선의 기울기를 구하시오.

(2-2) (80점) 곡선 $y = f(x)$가 실수 전체의 집합에서 위로 볼록함을 보이시오.

(2-3) (80점) 직선 $y = \dfrac{x}{2} - \dfrac{1}{2}$위의 점 P와 곡선 $y = f(x)$위의 점 Q사이의 거리가 최소가 되도록 하는 Q의 좌표를 구하시오.

[문제 3] 구간 $[-1, 1]$에서 정의되는 연속함수 $f(x)$가 다음 조건을 만족시킨다.

> (가) 모든 $x \in (-1, 1)$에 대하여 $f(x) > 0$
>
> (나) $f(0) = \displaystyle\int_{-1}^{1} f(x)dx$

실수 $x \in [-1, 1]$와 $t > 0$에 대하여 $g(x) = \displaystyle\int_{-1}^{x}(x-y)f(y)dy + t\int_{x}^{1}(y-x)f(y)dy$라고 정의할 때, $g(x)$가 최소가 되도록 하는 $x \in (-1, 1)$의 값을 $h(t)$라고 하자.

(3-1) (80점) $\dfrac{1}{f(0)}\displaystyle\int_{-1}^{h(t)}f(x)dx$를 t의 식으로 나타내시오.

(3-2) (80점) $h(t)$가 $t > 0$에서 미분가능하고 $h(1) = 0$일 때 $h'(1)$의 값을 구하시오.

(3-3) (80점) $f(x)$가

$$f(x) = \begin{cases} 1+x \ (-1 \leq x \leq 0) \\ 1-x \ \ (0 < x \leq 1) \end{cases}$$

로 주어질 때, $h(t)$를 구하시오.

【1-1】 반드시 해당문항과 일치하여야 함

【1-2】 반드시 해당문항과 일치하여야 함

【1-3】 반드시 해당문항과 일치하여야 함

이 줄 아래로 답안을 작성하거나 낙서할 경우 판독이 불가능하여 채점 불가함

【2-1】 반드시 해당문항과 일치하여야 함

【2-2】 반드시 해당문항과 일치하여야 함

【2-3】 반드시 해당문항과 일치하여야 함

【3-1】 반드시 해당문항과 일치하여야 함

【3-2】 반드시 해당문항과 일치하여야 함

【3-3】 반드시 해당문항과 일치하여야 함

이 줄 아래로 답안을 작성하거나 낙서할 경우 판독이 불가능하여 채점 불가함

4. 2023학년도 세종대 수시 논술 (A형)

[문제 1] 미분가능한 함수 $f(x)$와 $g(x) = (x^2 + 2)e^{2x} + e^{4x}$이 모든 실수 $x > 0$에 대하여 $(g \circ f)(x) = x$를 만족시킨다.

(1-1) 방정식 $g(x) = 3e^2 + e^4$의 해는 $x = 1$뿐임을 보이시오. 또한 방정식 $g(x) = 3$의 해는 $x = 0$뿐임을 보이시오. (70점)

(1-2) 극한 $\lim_{x \to 0+} xf'(x)$를 구하시오. (80점)

(1-3) $\displaystyle\int_3^{3e^2 + e^4} f(x)dx$를 구하시오. (80점)

[문제 2] 실수 전체의 집합에서 정의된 함수 $f(x)$에 대하여 $y=f(x)$라 할 때 $y+\ln(x+y)=x$가 성립한다.

(2-1) 곡선 $y=f(x)$위의 점 $\left(\dfrac{e+1}{2},\ \dfrac{e-1}{2}\right)$에서의 접선의 기울기를 구하시오. (70점)

(2-2) 함수 $f(x)$의 최솟값을 구하시오. (80점)

(2-3) $f(0)=f(\alpha)=\beta$일 때, β를 α의 식으로 표현하고 $\alpha<2$임을 보이시오. (단, $\alpha\neq0$)
(80점)

[문제 3] 최고차항의 계수가 1인 삼차함수 $f(x)$와 실수 t에 대하여 닫힌구간 $[t,\ t+1]$에서 $f(x)$의 최댓값을 $g(t)$로 정의할 때 함수 $g(t)$는 다음을 만족시킨다.

(가) $g(t)$는 $t=3$에서 미분가능하지 <u>않다</u>.

(나) 닫힌구간 $\left[0,\ \dfrac{1}{2}\right]$에 속하는 모든 t에 대하여 $g(t)=7$이다.

(3-1) $f(3)-f(4)$의 값을 구하시오. (80점)

(3-2) $f(x)$는 $x=\alpha$에서 극댓값을 갖는다. α의 최솟값과 최댓값을 각각 구하시오. (80점)

(3-3) $g(4)=7$일 때 $f(3)$을 구하시오. (80점)

【1-1】반드시 해당문항과 일치하여야 함

【1-2】반드시 해당문항과 일치하여야 함

【1-3】반드시 해당문항과 일치하여야 함

이 줄 아래로 답안을 작성하거나 낙서할 경우 판독이 불가능하여 채점 불가함

【2-1】반드시 해당문항과 일치하여야 함

【2-2】반드시 해당문항과 일치하여야 함

【2-3】반드시 해당문항과 일치하여야 함

계 열	지 원 학 과
자 연 계 열	

성 명	페 이 지
	○ 1장　● 2장

【3-1】 반드시 해당문항과 일치하여야 함

【3-2】 반드시 해당문항과 일치하여야 함

【3-3】 반드시 해당문항과 일치하여야 함

이 줄 아래로 답안을 작성하거나 낙서할 경우 판독이 불가능하여 채점 불가함

5. 2023학년도 세종대 수시 논술 (B형)

[문제 1] 실수 전체의 집합에서 정의된 함수 $f(x)$는 다음을 만족시킨다.

> (가) $0 \leq x \leq 2$일 때 $f(x) = x^3 - 3x^2 + 4$이다.
> (나) 임의의 실수 x에 대하여 $f(-x) = f(x)$이다.
> (다) 임의의 실수 x에 대하여 $f(x) = f(x+4)$이다.

열린구간 $(2, 4)$에서 정의된 함수 $h(x)$는 열린구간 $(2, 4)$에 속하는 모든 x에 대하여 $h(x) = f(x)$이다. $h(x)$의 역함수를 $h^{-1}(x)$라 하자.

(1-1) $h^{-1}(2)$를 구하시오. (70점)

(1-2) $(h^{-1})'(2)$를 구하시오. (80점)

(1-3) 실수 $t > 0$에 대하여 두 점 $(0, f(0))$과 $(t, f(t))$를 지나는 직선의 기울기를 $g(t)$라 하자. $(h^{-1})'(x) = |g(t)|$를 만족시키는 실수 x가 존재하도록 하는 t의 최댓값을 t_0이라 할 때, $n < t_0 < n+1$을 만족시키는 자연수 n을 구하시오. (80점)

[문제 2] $e^{-\frac{\pi}{2}} < x < e^{\frac{\pi}{2}}$ 에 대하여 $f(x) = \int_{e}^{x} \tan(\ln t)\,dt$ 라 하자.

(2-1) $f(x)$가 최소가 되는 x의 값을 구하시오. (70점)

(2-2) $f(1) = a$라 할 때, $\int_{0}^{1} e^{x}\tan^{2}x\,dx$를 a의 식으로 나타내시오. (80점)

(2-3) $\int_{\frac{1}{e}}^{e} \frac{f'(x)}{x^{2}}\,dx - f\left(\frac{1}{e}\right)$을 구하시오. (80점)

[문제 3] 그림과 같이 가로의 길이가 $a > 1$이고 세로의 길이가 1인 직사각형이 있다. 꼭짓점 A에서 출발하여 직사각형의 네 변을 따라서 시계 방향으로 이동한 거리가 s인 위치의 점 P(s)와 점 A사이의 거리를 $f(s)$라 하자. (단, $0 \le s \le 2a+2$)

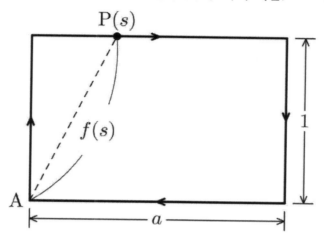

또한 곡선 $y = f(s)$위의 점 $(t, f(t))$에서의 접선을 ℓ_t라 하자. (단, $1 < t < a+1$또는 $a+1 < t < a+2$)

(3-1) $0 \le s \le 2a+2$에서 $f(s)$를 구하시오. 또한 곡선 $y = f(s)$위의 점 $(2, f(2))$에서의 접선 ℓ_2의 방정식을 구하시오. (80점)

(3-2) $1 < a < a+1$일 때 ℓ_a와 곡선 $y = f(s)$의 교점의 개수를 a의 값의 범위에 따라 구하시오. 또한 $a+1 < \beta < a+2$일 때 ℓ_β와 곡선 $y = f(s)$의 교점의 개수를 구하시오.

(80점)

(3-3) $1 < a < a+1$이고 $a+1 < \beta < a+2$인 a, β에 대하여 두 직선 ℓ_a와 ℓ_β가 이루는 예각을 $\theta(a, \beta)$라 하자. 실수 $a > 1$에 대하여 집합 I_a는 다음과 같이 주어진다.

$$I_a = \{\theta(a, \beta) | 1 < a < a+1, \ a+1 < \beta < a+2\}$$

I_a는 열린구간 $(L(a), R(a))$이다. 이 때 $\lim_{a \to \infty} L(a)$와 $\lim_{a \to \infty} R(a)$를 각각 구하시오. (80점)

계 열

자 연 계 열

지 원 학 과

성 명

페 이 지

● 1장 ○ 2장

【1-1】 반드시 해당문항과 일치하여야 함

【1-2】 반드시 해당문항과 일치하여야 함

【1-3】 반드시 해당문항과 일치하여야 함

이 줄 아래로 답안을 작성하거나 낙서할 경우 판독이 불가능하여 채점 불가함

【2-1】반드시 해당문항과 일치하여야 함

【2-2】반드시 해당문항과 일치하여야 함

【2-3】반드시 해당문항과 일치하여야 함

계 열	지 원 학 과
자 연 계 열	

성 명	페 이 지
	○ 1장 ● 2장

【3-1】 반드시 해당문항과 일치하여야 함

【3-2】 반드시 해당문항과 일치하여야 함

【3-3】 반드시 해당문항과 일치하여야 함

이 줄 아래로 답안을 작성하거나 낙서할 경우 판독이 불가능하여 채점 불가함

6. 2023학년도 세종대 모의 논술

[문제 1] 높이가 y일 때 수평 단면이 반지름의 길이가 $\sqrt{20y-y^2}$ cm(단, $0 \le y \le 10$)인 원으로 주어지는 반구 모양의 용기가 있다. 이 용기에 물이 채워지고 있고, 시각 t에서 용기에 담겨있는 물의 부피를 $V(t)$cm^{3}라 할 때 $V(0)=0$이고 $\dfrac{dV}{dt}=81\pi$cm^3/초이다. 시각 t에서 물의 높이 y가 $h(t)$cm라 할 때, 다음 물음에 답하시오. (단, t의 단위는 초이다.)

(1−1) (70점) $h(t)=9$일 때, t의 값을 구하시오.

(1−2) (80점) $h(t)=9$일 때, $h'(t)$의 값을 구하시오.

(1−3) (80점) $h(t)=9$일 때, $\dfrac{d^2y}{dt^2}$과 $\dfrac{d^2t}{dy^2}$을 구하시오.

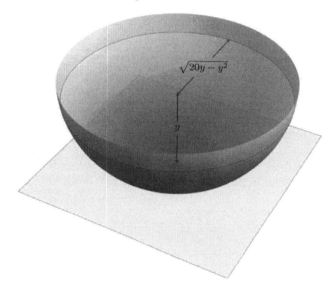

[문제 2] 좌표평면에 다음과 같이 매개변수 t로 주어지는 곡선 C가 있다.
$$C: x = 6t^2 + 1, \quad y = t^3 - 12t \quad (t \geq 0)$$
곡선 C위의 점 P와 점 $(1, 0)$사이의 곡선 C의 길이는 13이다.

(2−1) (70점) 곡선 C위의 점 중에서 y좌표가 최소인 점을 Q라 할 때, Q의 좌표를 구하시오.

(2−2) (80점) 점 P에서 곡선 C에 접하는 직선을 L_1이라 할 때, L_1의 방정식을 구하시오.

(2−3) (80점) 직선 L_1과 x축의 교점을 A라 하고, 점 Q를 지나는 직선 L_2에 대하여 L_1과 L_2의 교점을 B, L_2와 x축의 교점을 D라 하자. 선분 AB의 길이와 선분 AD의 길이가 같을 때 점 D의 좌표를 구하시오.

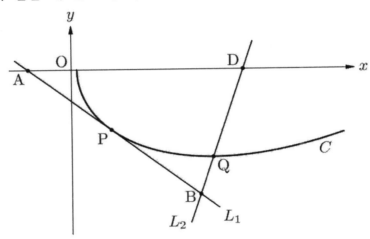

[문제 3] 이차함수 $f(x)$에 대하여 함수 $g(x)$를 $g(x) = f(f(x))$로 정의할 때, 함수 $f(x)$, $g(x)$및 실수 k가 다음 조건을 만족시킨다.

(가) $f(k) = f'(k) = 0$(단, $k < 0$)

(나) 함수 $g(x)$는 극값을 하나만 갖는다.

(다) $g(-1) \leq g(0)$

(3-1) (80점) 곡선 $y = f(x)$가 위로 볼록한지, 아니면 아래로 볼록한지 조사하시오.

(3-2) (80점) $g''(x) > 0$인 x의 범위를 구하시오. 또한 k의 최댓값을 구하시오.

(3-3) (80점) 함수 $h(x)$를 $h(x) = g(g(-x))$로 정의할 때 다음 식이 성립하도록 하는 실수 p의 최솟값을 구하시오. (단, $p > 0$)

$$\int_0^p h(x)dx = \int_p^{2p} h(x)dx$$

【1-1】 반드시 해당문항과 일치하여야 함

【1-2】 반드시 해당문항과 일치하여야 함

【1-3】 반드시 해당문항과 일치하여야 함

이 줄 아래로 답안을 작성하거나 낙서할 경우 판독이 불가능하여 채점 불가함

이 줄 위로 답안을 작성하거나 낙서할 경우 판독이 불가능하여 채점 불가함

【2-1】 반드시 해당문항과 일치하여야 함

【2-2】 반드시 해당문항과 일치하여야 함

【2-3】 반드시 해당문항과 일치하여야 함

이 줄 아래로 답안을 작성하거나 낙서할 경우 판독이 불가능하여 채점 불가함

【3-1】 반드시 해당문항과 일치하여야 함

【3-2】 반드시 해당문항과 일치하여야 함

【3-3】 반드시 해당문항과 일치하여야 함

이 줄 아래로 답안을 작성하거나 낙서할 경우 판독이 불가능하여 채점 불가함

60

7. 2022학년도 세종대 수시 논술 (A형)

[문제 1] 실수 t에 대하여 함수 $f(x)$를 $f(x) = te^{-x^2}(x > 0)$이라 정의하자. 곡선 $y = f(x)$ 위의 점 중 원점 O와 가장 가까운 점을 P, 변곡점을 Q라 할 때 다음 물음에 각각 답하시오. (단, $t > \dfrac{\sqrt{2}}{2}$)

(1−1) 점 Q의 x좌표를 구하시오. (70점)

(1−2) 원점 O와 점 P사이의 거리를 t에 대한 식으로 나타내시오. (80점)

(1−3) $\angle \mathrm{OPS} = \dfrac{\pi}{2}$를 만족하는 x축 위의 점 S(r, 0)에 대하여 r가 최소일 때, 점 P의 x좌표를 구하시오. (80점)

[문제 2] 실수 전체의 집합에서 미분가능한 함수 $f(x)$와 $g(x)$는 다음 조건을 만족시킨다.

> 모든 실수 x, y에 대하여 $f(x) - f(y) \leq (x-y)g(x)$이다.

(2−1) 모든 실수 x, y에 대하여 $(x-y)g(y) \leq f(x) - f(y)$가 성립함을 보이시오. (70점)

(2−2) 모든 실수 x에 대하여 $f'(x) = g(x)$임을 보이시오. (80점)

(2−3) 모든 실수 x에 대하여 $8f(x) + f(-2x) = 18$일 때, $f(x)$를 구하시오. (80점)

[문제 3] 최고차항의 계수가 1인 삼차함수 $f(x)$에 대하여 $g(x) = f(x)e^x$이라 정의할 때, 함수 $g(x)$는 다음 조건을 만족시킨다.

> (가) 모든 실수 x에 대하여 $\displaystyle\int_1^x g(t)dt \geq 0$이다.
>
> (나) $g(x)$는 $x=3$에서 극솟값 0을 갖는다.

(3−1) $f(1) = 0$임을 보이시오. (80점)

(3−2) $g(x)$를 구하고 도함수와 이계도함수를 이용하여 곡선 $y = g(x)$의 개형을 좌표평면에 그리시오. 또한 극대, 극소, 변곡점이 되는 x의 값을 모두 구하시오. (80점)

(3−3) 실수 t에 대하여 방정식 $g'(t) = \dfrac{g(x+1) - g(t)}{x-t}$를 만족시키는 서로 다른 실수 x의 개수를 $h(t)$라 정의하자. 구간 $[2, 3]$에 속하는 t중에서 $h(t) = 2$를 만족시키는 t의 개수를 구하시오. (80점)

【1-1】 반드시 해당문항과 일치하여야 함

【1-2】 반드시 해당문항과 일치하여야 함

【1-3】 반드시 해당문항과 일치하여야 함

이 줄 아래로 답안을 작성하거나 낙서할 경우 판독이 불가능하여 채점 불가함

【2-1】반드시 해당문항과 일치하여야 함

【2-2】반드시 해당문항과 일치하여야 함

【2-3】반드시 해당문항과 일치하여야 함

[3-1] 반드시 해당문항과 일치하여야 함

[3-2] 반드시 해당문항과 일치하여야 함

[3-3] 반드시 해당문항과 일치하여야 함

이 줄 아래로 답안을 작성하거나 낙서할 경우 판독이 불가능하여 채점 불가함

8. 2022학년도 세종대 수시 논술 (B형)

[문제 1] 아래 그림에 있는 삼각형 ABC는 시각 $t \geq 0$에 따라 크기가 변하며, 다음 조건을 만족시킨다.

(가) 시각 $t=0$에서 $\overline{BC}=1$이다.

(나) 임의의 시각 $t \geq 0$에서 $\angle B = \dfrac{\pi}{4}$이고 $\overline{BC} : \overline{AB} = 1 : 2\sqrt{2}$이다.

(다) 임의의 시각 $t > 0$에서 삼각형 ABC의 넓이의 순간변화율은 $\dfrac{4}{3}t + 6$이다.

(1−1) sinC를 구하시오. (70점)

(1−2) 시각 t에서 선분 BC의 길이를 $\ell(t)$라 할 때, $\lim\limits_{t \to \infty} \dfrac{\ell(t)}{t}$의 값을 구하시오. (80점)

(1−3) 삼각형 ABC의 외심을 Z라 하자. 선분 BC의 길이가 5일 때, 사각형 ZBCA의 넓이의 순간변화율을 구하시오. (80점)

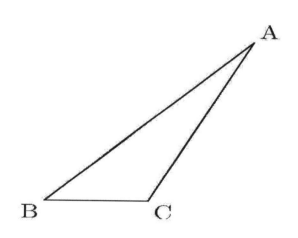

[문제 2] 실수 전체의 집합에서 미분가능한 함수 $f(x)$는 다음 조건을 만족시킨다.

(가) 모든 실수 x에 대하여 $f(2x) = 4f(x)$이다.

(나) $\displaystyle\int_1^2 f(x)dx = 6$

(다) 최고차항의 계수가 1인 삼차함수 $g(x)$에 대하여 $1 \le x \le 2$에서 $f(x) = g(x)$이다.

(2-1) $\displaystyle\int_1^3 2^x f(2^x)dx$를 구하시오. (70점)

(2-2) $\displaystyle\int_0^1 f(x)dx$를 구하시오. (80점)

(2-3) $g(x)$를 구하시오. (80점)

[문제 3] 닫힌구간 $[-1, 1]$에서 연속이고 열린구간 $(-1, 1)$에서 이계도함수가 존재하는 함수 $f(x)$가 다음 조건을 만족시킨다.

> (가) $0 < x < \pi$인 모든 실수 x에 대하여 $f'(\cos x) = e^x$이다.
>
> (나) $f(1) = \dfrac{1}{2}$

$0 \le x \le 2\pi$일 때 함수 $g(x)$를 $g(x) = f(\cos x)$라 정의하자. 다음 물음에 각각 답하시오.

(3−1) $0 \le x \le \pi$일 때 $g(x)$를 구하시오. (80점)

(3−2) $\pi \le x \le 2\pi$일 때 함수 $g(x)$를 구하고, $0 \le x \le 2\pi$일 때 곡선 $y = g(x)$의 그래프의 개형을 그리시오. 또한 이 곡선이 x축과 만나는 점의 x좌표와 변곡점의 x좌표를 모두 구하고, 함수 $g(x)$의 **최솟값**을 m, **최댓값**을 M이라 할 때 상수 m과 M을 각각 구하시오. (80점)

(3−3) (3−2)에서 구한 상수 m과 M에 대하여 열린구간 (m, M)을 I라 하자. 실수 $t \in I$에 대하여 직선 $y = t$가 곡선 $y = g(x)$와 만나서 생기는 두 점 사이의 거리를 $h(t)$라 정의하자. 미분가능한 함수 $h(t)$에 대하여 $h(k) = \pi$일 때 상수 k와 $h'(k)$의 값을 각각 구하시오. (80점)

【1-1】 반드시 해당문항과 일치하여야 함

【1-2】 반드시 해당문항과 일치하여야 함

【1-3】 반드시 해당문항과 일치하여야 함

이 줄 아래로 답안을 작성하거나 낙서할 경우 판독이 불가능하여 채점 불가함

【2-1】반드시 해당문항과 일치하여야 함

【2-2】반드시 해당문항과 일치하여야 함

【2-3】반드시 해당문항과 일치하여야 함

세종대학교
SEJONG UNIVERSITY

논술고사 답안지

계 열	지 원 학 과
자연계열	

성 명	페 이 지
	○ 1장　　● 2장

수 험 번 호

생년월일(예:051126)

[3-1] 반드시 해당문항과 일치하여야 함

[3-2] 반드시 해당문항과 일치하여야 함

[3-3] 반드시 해당문항과 일치하여야 함

이 줄 아래로 답안을 작성하거나 낙서할 경우 판독이 불가능하여 채점 불가함

9. 2022학년도 세종대 수시 논술 (C형)

[문제 1] 실수 전체의 집합에서 정의된 함수 $f(x) = 2e^x - e^{-x}$에 대하여 다음 물음에 각각 답하시오.

(1-1) 함수 $f(x)$의 역함수 $f^{-1}(x)$가 존재함을 보이시오. (70점)

(1-2) 함수 $F(x) = \int_0^x t f^{-1}(t)dt$는 $x = 1$에서 극솟값을 가짐을 보이시오. (80점)

(1-3) $F(1)$의 값을 구하시오. (80점)

[문제 2] 시각 $t > 0$에서 함수 $f(x)$를 모든 실수 x에 대하여 다음과 같이 정의하자.
$$f(x) = t(x-t)(x-t-1)$$
점 $Q(t, 0)$에서 곡선 $y = f(x)$에 접하는 직선을 L이라 하자.

중심 Z가 제 4사분면에 있는 원 C는 y축에 접하며 점 Q에서 직선 L에도 접한다.

(2-1) 시각 t에서 곡선 $y = f(x)$와 직선 L및 y축으로 둘러싸인 도형의 넓이를 t에 대한 식으로 나타내시오. (70점)

(2-2) 시각 t에서 원 C의 중심 Z의 좌표를 $(a(t), b(t))$라 할 때, $\displaystyle\lim_{t \to \infty} \frac{t\{b(t)\}^2}{a(t)}$을 구하시오. (80점)

(2-3) 시각 t에서 원 C가 x축과 만나는 점 중에서 Q가 아닌 점을 P라 하고, $\angle PZQ$를 θ라 하자. 시각 t_1, $t_2 (0 < t_1 < t_2)$에서 $\sin\theta$의 값이 서로 같고, $t_1 + t_2 = 14$일 때 t_1의 값을 구하시오. (80점)

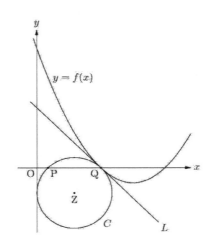

[문제 3] $x \geq 0$에서 연속인 함수 $f(x)$는 다음 조건을 만족시킨다.

> (가) $x > 0$에서 $f(x)$는 두 번 미분가능하고 $f(x) > 0$, $f'(x) > 0$, $f''(x) > 0$이다.
>
> (나) 곡선 $y = f(x)$위의 점 $(a,\ f(a))$에서의 접선이 점 $\mathrm{A}(0,\ -\sqrt{2})$를 지난다.
>
> (단, $a > 0$)

곡선 $y = f(x)$와 직선 $y = -\sqrt{2}$및 두 직선 $x = 0$, $x = 2a$로 둘러싸인 도형을 S라 하자.

도형 S에서 점 A와 점 $(x,\ f(x))(0 \leq x \leq 2a)$를 잇는 가장 짧은 경로의 길이를 $\ell(x)$라 하자.

(3−1) $x = a$에서 $\ell(x)$가 미분가능함을 보이시오. (80점)

(3−2) $\ell(x) = \dfrac{x^3}{3} + x^2 + \dfrac{5}{3}$일 때 접점 $(a,\ f(a))$를 구하시오. (80점)

(3−3) (3−2)의 $\ell(x)$에 대하여 $f(x)(0 \leq x \leq 2a)$를 구하시오. (80점)

【1-1】 반드시 해당문항과 일치하여야 함

【1-2】 반드시 해당문항과 일치하여야 함

【1-3】 반드시 해당문항과 일치하여야 함

이 줄 아래로 답안을 작성하거나 낙서할 경우 판독이 불가능하여 채점 불가함

【2-1】반드시 해당문항과 일치하여야 함

【2-2】반드시 해당문항과 일치하여야 함

【2-3】반드시 해당문항과 일치하여야 함

【3-1】반드시 해당문항과 일치하여야 함

【3-2】반드시 해당문항과 일치하여야 함

【3-3】반드시 해당문항과 일치하여야 함

이 줄 아래로 답안을 작성하거나 낙서할 경우 판독이 불가능하여 채점 불가함

78

10. 2022학년도 세종대 모의 논술

[문제 1] 그림과 같이 좌표평면에 중심이 $(0, \sqrt{2})$이고 반지름의 길이가 1인 원 C가 있다. 점 $P(a, 0)$을 지나고 원 위의 점 T_1, T_2에서 각각 접하는 두 직선에 대하여 $\angle T_1PT_2 = \theta$라 하자. (단, $0 < a < 1$)

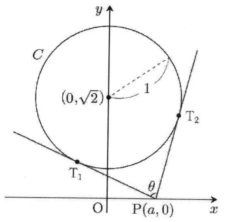

(1-1) 직선 PT_1의 기울기 m_1과 직선 PT_2의 기울기 m_2를 각각 a에 대한 식으로 나타내시오. (70점)

(1-2) $\tan\theta$를 a에 대한 식으로 나타내시오. (80점)

(1-3) $\cos\theta$를 a에 대한 식으로 나타낸 것을 $f(a)$라 할 때 극한 $\displaystyle\lim_{a \to 0+} \frac{f(a)}{a^2}$를 구하시오. (80점)

[문제 2] 실수 전체의 집합에서 미분가능한 함수 $f(x)$가 다음을 만족시킨다.

(가) 임의의 실수 x에 대하여 $f(x) = \int_0^x \sqrt{f(t) - t - 2}\, dt + x + 2$이다.

(나) $x > 2$일 때 $f(x) > x + 2$이고 $f(4) = 7$이다.

(2-1) $x < 0$일 때 $f(x)$를 구하면 $f(x) = x + k$이다. 상수 k를 구하시오. **(70점)**

(2-2) $x > 2$일 때 $f(x)$를 구하시오. **(80점)**

(2-3) $f(1)$을 구하시오. **(80점)**

[

문제 3] 실수 전체의 집합에서 정의된 함수

$$f(x) = \begin{cases} 1 + \dfrac{\pi}{2}\cos\dfrac{\pi}{2}x & (|x| \le 1) \\ \dfrac{2x^4}{1+x^2} & (|x| > 1) \end{cases}$$

가 있다. 실수 t에 대하여 다음 조건을 만족시키는 실수 s가 유일하게 존재하는데, 이를 $g(t)$라 정의한다.

$$\int_t^s f(x)dx = 2$$

미분가능한 함수 $g(t)$에 대하여 다음 질문에 각각 답하시오.

(3−1) $g(-1) = 0$임을 보이시오. (80점)

(3−2) $t \le g(t) \le t+2$임을 보이시오. (80점)

(3−3) $\lim\limits_{t \to \infty} g'(t)$를 구하시오. (80점)

세종대학교
SEJONG UNIVERSITY

논술고사 답안지

계 열	지 원 학 과
자 연 계 열	

성 명	페 이 지
	● 1장 ○ 2장

【1-1】반드시 해당문항과 일치하여야 함

【1-2】반드시 해당문항과 일치하여야 함

【1-3】반드시 해당문항과 일치하여야 함

이 줄 아래로 답안을 작성하거나 낙서할 경우 판독이 불가능하여 채점 불가함

【2-1】 반드시 해당문항과 일치하여야 함

【2-2】 반드시 해당문항과 일치하여야 함

【2-3】 반드시 해당문항과 일치하여야 함

[3-1] 반드시 해당문항과 일치하여야 함

[3-2] 반드시 해당문항과 일치하여야 함

[3-3] 반드시 해당문항과 일치하여야 함

이 줄 아래로 답안을 작성하거나 낙서할 경우 판독이 불가능하여 채점 불가함

11. 2021학년도 세종대 수시 논술 (A형)

[문제 1] 실수 전체의 집합에서 정의된 함수 $y=f(x)$의 이계도함수는 연속함수이고, 아래 조건을 모두 만족한다. 다음 물음에 각각 답하시오.

< 조건 >

(가) $f(0)=1$

(나) $x>0$인 모든 실수 x에 대하여 $f'(x)>0$이다.

(다) $0 \le x \le t$에서 곡선 $y=f(x)$의 길이를 $\ell(t)$라 할 때,

모든 양의 실수 t에 대하여 $\ell(t)=\displaystyle\int_0^t f(x)dx$가 성립한다.

(1-1) $f'(0)$을 구하시오. (70점)

(1-2) $g(x)=f(x)+f'(x)$라 할 때, $x>0$에 대하여 $g(x)$를 구하시오. (80점)

(1-3) $x>0$에 대하여 $f(x)$를 구하시오. (80점)

[문제 2] 함수 $f(x) = \begin{cases} x - \ln x, & x > 1 \\ x, & x \le 1 \end{cases}$에 대하여, $x(1) = e$이고 이계도함수가 연속인 함수 $x(t)$는 모든 실수 $t > \dfrac{1}{e-1}$에 대하여 $f(x(t)) = (e-1)t - \ln t$를 만족한다. 다음 물음에 각각 답하시오.

(2-1) $t > \dfrac{1}{e-1}$인 모든 t에 대하여 $x(t) > 1$임을 보이시오. (80점)

(2-2) $x'(1)$, $x''(1)$의 값을 각각 구하시오. (80점)

(2-3) $t > \dfrac{1}{e-1}$인 모든 t에 대하여 $x''(t) > 0$임을 보이시오. (80점)

※주의!!
현재 세종대 논술은 3문제로 진행됩니다. 하지만, 세종대 입시제도 개편으로 '확률과 통계'가 시험 범위에서 제외되었습니다. 수험생 혼란을 막기 위해 기출문제 중 한 문제를 제외하였습니다.

【1-1】 반드시 해당문항과 일치하여야 함

【1-2】 반드시 해당문항과 일치하여야 함

【1-3】 반드시 해당문항과 일치하여야 함

이 줄 아래로 답안을 작성하거나 낙서할 경우 판독이 불가능하여 채점 불가함

【2-1】반드시 해당문항과 일치하여야 함

【2-2】반드시 해당문항과 일치하여야 함

【2-3】반드시 해당문항과 일치하여야 함

12. 2021학년도 세종대 수시 논술 (B형)

[문제 1] 실수 전체의 집합에서 미분가능한 함수 $f(x)$는 아래 조건을 만족한다.

< 조건 >

(가) $f(0) = 1$

(나) $0 \leq x \leq t$에서 곡선 $y = f(x)$의 길이는 $f(t) - 2e^{-t} + 1$이다.

다음 물음에 각각 답하시오.

(1-1) 함수 $f(x)$를 구하시오. (70점)

(1-2) 함수 $f(x)$는 $x = a$에서 최솟값 b를 갖는다. 곡선 $y = f(x)$위의 점 $(0, 1)$에서의 접선 ℓ과 직선 $y = b$, 곡선 $y = f(x)$로 둘러싸인 영역의 넓이를 구하시오. (80점)

(1-3) x축 위를 움직이는 어떤 점의 시각 t에서의 위치가 $x(t) = -t^2 + 4t + 1$이다. $x(t)$가 최댓값을 갖게 되는 x축 위의 점을 A라 하자. 점 A를 지나는 임의의 직선 ℓ에 대하여 점 $(0, 1)$에서 직선 ℓ까지의 거리를 $d(\ell)$이라 할 때, $d(\ell)$이 최대가 되는 직선 ℓ의 방정식을 구하시오. (80점)

[문제 2] 실수 전체의 집합에서 정의된 함수 $f(x)$에 대하여 집합 A_f를 다음과 같이 정의하자.

$$A_f = \{m \in \{\mathbb{R} \mid \text{모든 실수 } x\text{에 대하여 } f(x) \geq f(0) + mx\text{가 성립한다.}\}$$

예를 들어, $f(x) = |x|$에 대하여 집합 A_f는 $A_f = \{m \mid -1 \leq m \leq 1\}$이다.

다음 물음에 각각 답하시오.

(2-1) $f(x) = x^3$에 대하여 A_f는 공집합이 됨을 보이시오. (80점)

(2-2) 함수 $f(x)$의 이계도함수 $f''(x)$가 모든 실수 x에 대하여 $f''(x) \geq 0$을 만족하면, $f'(0) \in A_f$가 성립함을 보이시오. (단, 그림을 이용한 직관적인 설명은 허용하지 않습니다.) (80점)

(2-3) 함수 $f(x)$의 이계도함수 $f''(x)$가 모든 실수 x에 대하여 $f''(x) \geq 0$을 만족하면, 실제로 $A_f = \{f'(0)\}$가 됨을 보이시오. (단, 그림을 이용한 직관적인 설명은 허용하지 않습니다.) (80점)

※주의!!

현재 세종대 논술은 3문제으로 진행됩니다. 하지만, 세종대 입시제도 개편으로 '확률과 통계'가 시험 범위에서 제외되었습니다. 수험생 혼란을 막기 위해 기출문제 중 한 문제를 제외하였습니다.

【1-1】 반드시 해당문항과 일치하여야 함

【1-2】 반드시 해당문항과 일치하여야 함

【1-3】 반드시 해당문항과 일치하여야 함

이 줄 아래로 답안을 작성하거나 낙서할 경우 판독이 불가능하여 채점 불가함

【2-1】 반드시 해당문항과 일치하여야 함

【2-2】 반드시 해당문항과 일치하여야 함

【2-3】 반드시 해당문항과 일치하여야 함

13. 2021학년도 세종대 수시 논술 (C형)

[문제 1] 실수 전체의 집합에서 정의된 세 함수

$$f(x) = \begin{cases} x - \dfrac{1}{2}, & x \ge \dfrac{3}{2} \\ 2x - 2, & 1 < x \le \dfrac{3}{2} \\ -x + 1, & x \le 1 \end{cases} \quad g(x) = \begin{cases} (x-1)^2, & x \ge 1 \\ -x+1, & x < 1 \end{cases}, \quad h(x) = \begin{cases} x + e^x - e, & x \ge 1 \\ ex + 1 - e, & x < 1 \end{cases}$$

에 대하여, 다음 물음에 각각 답하시오.

(1-1) 함수 $y = h(x)$가 역함수를 가짐을 보이시오. (70점)

(1-2) 집합

$$A = \{a \in \mathbb{R} \,|\, (g \circ f)(x)\text{는 } x = a\text{에서 미분 가능하지 않다.}\}$$

를 구하시오. (80점)

(1-3) 함수 $(h^{-1} \circ f)(x)$가 $x = \dfrac{3}{2}$에서 미분 가능하지 않음을 보이시오. (80점)

[문제 2] 실수 전체의 집합에서 정의된 두 함수 $f(x) = \dfrac{1}{1+e^{-x}}$, $g(x) = \sin^2(\pi x)$에 대하여 수열 $\{a_n\}$을

$$a_n = \int_0^1 f(x)g(nx)dx, \quad (n=1,\ 2,\ \cdots)$$

로 정의할 때, 다음 물음에 각각 답하시오.

(2-1) $\displaystyle\int_0^1 g(x)dx$의 값을 구하시오. (80점)

(2-2) 모든 자연수 n에 대하여 다음 부등식이 성립함을 보이시오. (80점)

$$a_n \le \frac{1}{2n}\sum_{k=1}^{n} f\left(\frac{k}{n}\right)$$

(2-3) $\displaystyle\lim_{n \to \infty} \frac{1}{n}\sum_{k=1}^{n} f\left(\frac{k}{n}\right) = \lim_{n \to \infty} \frac{1}{n}\sum_{k=1}^{n} f\left(\frac{k-1}{n}\right)$이 성립함을 이용하여 극한 $\displaystyle\lim_{n \to \infty} a_n$의 값을 구하시오. (80점)

※주의!!
현재 세종대 논술은 3문제으로 진행됩니다. 하지만, 세종대 입시제도 개편으로 '확률과 통계'가 시험 범위에서 제외되었습니다. 수험생 혼란을 막기 위해 기출문제 중 한 문제를 제외하였습니다.

【1-1】반드시 해당문항과 일치하여야 함

【1-2】반드시 해당문항과 일치하여야 함

【1-3】반드시 해당문항과 일치하여야 함

이 줄 아래로 답안을 작성하거나 낙서할 경우 판독이 불가능하여 채점 불가함

[2-1] 반드시 해당문항과 일치하여야 함

[2-2] 반드시 해당문항과 일치하여야 함

[2-3] 반드시 해당문항과 일치하여야 함

14. 2021학년도 세종대 수시 논술 (D형)

[문제 1] 실수 전체의 집합에서 연속인 함수 $f(x)$가 상수 a에 대하여 다음 식을 만족한다.

$$\int_0^x f(t)dt = e^x - ae^{3x}\int_0^{\ln 3} e^{-t}f(t)dt$$

다음 물음에 각각 답하시오.

(1−1) 함수 $f(x)$와 실수 a를 각각 구하시오. (70점)

(1−2) 좌표평면의 $x < 0$인 부분에서 두 곡선 $y = f(x)$, $y = e^x$위에 각각 하나씩 점을 잡고, y축 위에 두 점을 잡아서 직사각형을 만들 때, 직사각형 넓이의 최댓값을 구하시오. (80점)

(1−3) 곡선 $y = f(x)$와 y축의 교점을 P라 하자. 직선 ℓ_1은 곡선 $y = f(x)$위의 점 P에서의 접선이고, ℓ_2는 x축과 평행하면서 곡선 $y = f(x)$에 접하는 직선이다. 곡선 $y = f(x)$와 두 직선 ℓ_1, ℓ_2로 둘러싸인 영역의 넓이를 구하시오. (80점)

[문제 2] 실수 전체의 집합에서 미분가능한 함수 $y = f(t)$는 다음 조건을 만족한다.

<조건>

(가) $f(0) = 1$

(나) $t > 0$인 모든 실수 t에 대하여 $f'(t) > 0$이다.

$t \geq 0$에 대하여 매개변수 방정식

$$x(t) = f(t)\cos(t^2 - 2t), \quad y(t) = f(t)\sin(t^2 - 2t)$$

로 정의되는 점 $\mathrm{P}(x(t),\ y(t))$가 있다. 임의의 양수 a에 대하여 $0 \leq t \leq a$에서 점 P가 움직인 거리가 $\displaystyle\int_0^a e^t \sqrt{4(t^2-1)^2 + (t+2)^2}\, dt$일 때, 다음 물음에 각각 답하시오.

(2-1) $f'(1)$을 구하시오. (80점)

(2-2) 모든 양의 실수 x에 대하여 $\left(f'(x) - (x+2)e^x\right)\left(f(x) - (x+1)e^x\right) \leq 0$가 성립함을 보이시오. (80점)

(2-3) $x \geq 0$에서 함수 $f(x)$를 구하시오. (80점)

※주의!!

현재 세종대 논술은 3문제로 진행됩니다. 하지만, 세종대 입시제도 개편으로 '확률과 통계'가 시험 범위에서 제외되었습니다. 수험생 혼란을 막기 위해 기출문제 중 한 문제를 제외하였습니다.

계 열	지 원 학 과
자 연 계 열	

성 명	페 이 지
	● 1장　　○ 2장

【1-1】 반드시 해당문항과 일치하여야 함

【1-2】 반드시 해당문항과 일치하여야 함

【1-3】 반드시 해당문항과 일치하여야 함

이 줄 아래로 답안을 작성하거나 낙서할 경우 판독이 불가능하여 채점 불가함

99

【2-1】 반드시 해당문항과 일치하여야 함

【2-2】 반드시 해당문항과 일치하여야 함

【2-3】 반드시 해당문항과 일치하여야 함

15. 2021학년도 세종대 모의 논술

[문제 1] 점 $P(x,y)$가 점 $A(2,0)$에서 출발하여 선분 AB를 따라 점 $B(0,1)$로 움직이고 있다. 삼각형 $\triangle OPA$의 넓이를 S라 할 때, 시간 t에 대한 S의 변화율 $\dfrac{dS}{dt} = c$는 양의 상수이다.

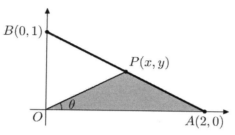

(1-1) $\angle POA = \theta$일 때, S를 θ에 대한 함수로 나타내시오. (70점)

(1-2) (1-1)에서 구한 함수의 역함수가 존재함을 설명하시오. (80점)

(1-3) 시간 t에 대한 θ의 변화율 $\dfrac{d\theta}{dt}$가 최대가 되는 점 P의 좌표 (x,y)를 구하시오.

    (80점)

[문제 2] 상수함수가 아닌 다항함수 $f(x)$가 다음 두 조건을 만족시킨다.

> (조건 1) $f(0) = f(1) = 0$
>
> (조건 2) 양수 M에 대하여 $0 \leq x \leq 1$인 모든 실수 x에 대해 $|f''(x)| \leq M$을 만족한다.

구간 $[0,1]$에서 함수 $|f(x)|$의 **최댓값**이 $|f(a)|$라 할 때, 다음 물음에 각각 답하시오. (단, a는 실수이다.)

(2-1) $f'(a) = 0$이 됨을 보이시오. (80점)

(2-2) $|f(a)| \leq \dfrac{M}{8}$이 성립함을 보이시오. (80점)

(2-3) 문제의 조건을 만족시키는 다항함수 중에서 $|f(a)| = \dfrac{M}{8}$을 만족시키는 함수 (즉, (2-2)에서 등호가 성립하는 함수) f를 구하시오. (80점)

※주의!!
현재 세종대 논술은 3문제로 진행됩니다. 하지만, 세종대 입시제도 개편으로 '확률과 통계'가 시험 범위에서 제외되었습니다. 수험생 혼란을 막기 위해 기출문제 중 한 문제를 제외하였습니다.

계 열

자 연 계 열

지 원 학 과

성 명

페 이 지

● 1장   ○ 2장

【1-1】 반드시 해당문항과 일치하여야 함

【1-2】 반드시 해당문항과 일치하여야 함

【1-3】 반드시 해당문항과 일치하여야 함

이 줄 아래로 답안을 작성하거나 낙서할 경우 판독이 불가능하여 채점 불가함

【2-1】반드시 해당문항과 일치하여야 함

【2-2】반드시 해당문항과 일치하여야 함

【2-3】반드시 해당문항과 일치하여야 함

VI. 예시 답안

1. 2024학년도 세종대 수시 논술 (A형)

[문제 1] 실수 전체의 집합에서 다음과 같이 정의되는 함수 $f(x)$에 대하여 아래 물음에 각각 답하시오. (단, n은 자연수이다.)

$$f(x) = \begin{cases} -\int_0^x \dfrac{(t+3)(t+1)}{(n+3)(n+1)}dt & (x < 0) \\[4mm] \int_0^x \left\{ \dfrac{t^3}{n^3} - \dfrac{(t+3)(t+1)}{(n+3)(n+1)} \right\}dt & (x \geq 0) \end{cases}$$

(1-1) $x < 0$일 때 $f(x)$의 극솟값을 구하시오. (70점)

(1-2) 함수 $f(x)$의 최솟값을 구하시오. (80점)

(1-3) 곡선 $y = f(x)$위의 점 중에서 접선의 기울기가 0인 점을 꼭짓점으로 갖는 삼각형의 내각 중에서 가장 큰 각의 크기를 θ_n이라 할 때, $\lim\limits_{n \to \infty} \tan\theta_n$을 구하시오. (80점)

[문제 2] 최고차항의 계수가 1인 사차함수 $f(x)$는 다음 조건을 만족시킨다.

> (가) 곡선 $y = f(x)$는 서로 다른 두 점 A$(a, f(a))$, B$(b, f(b))$에서 직선 $y = 2x + 1$에 접한다. (단, $a < b$)
>
> (나) 두 점 A와 B사이의 거리는 $\sqrt{5}$이다.
>
> (다) $f'(c) = 2$를 만족시키는 $c(a < c < b)$에 대하여, $a + b + c = \dfrac{3}{2}$이다.

(2-1) c의 값을 구하시오. (70점)

(2-2) $a < x < c$에서 $f(x)$의 역함수가 존재함을 보이고, $f(a) < x < f(c)$인 x에 대하여 $(f^{-1})'(x)$의 최솟값을 구하시오. (80점)

(2-3) 곡선 $y = f(x)$위의 두 변곡점 $(\alpha, f(\alpha))$, $(\beta, f(\beta))$를 지나는 직선의 방정식을 $y = L(x)$라 하고, $y = f(x)$와 $y = L(x)$의 교점의 x좌표의 최댓값을 k라 하자. 이때, 점 P$(k + 2f(k), 0)$과 곡선 $y = \dfrac{1}{2}\{f(x) + L(x) + |f(x) - L(x)|\}$위의 점 Q에 대하여, 선분 PQ의 길이가 최소가 되도록 하는 점 Q의 x좌표를 구하시오. (80점)

[문제 3] 실수 전체의 집합에서 정의된 함수 $f(x) = \int_0^x te^{-(t-x)^2}dt$에 대하여 $\int_0^2 e^{-x^2}dx = A$라 할 때, 다음 물음에 각각 답하시오.

(3−1) $f'(2)$를 A의 식으로 나타내시오. (80점)

(3−2) $0 < x \leq 2$에서 함수 $\dfrac{f(x)}{x}$의 최댓값을 A의 식으로 나타내시오. (80점)

(3−3) $\displaystyle\lim_{x \to 0} \dfrac{\{f(x)\}^5 f'(x)}{x^{11}}$의 값을 구하시오. (80점)

(1−1) $x < 0$일때 $f'(x) = -\dfrac{(x+3)(x+1)}{(n+3)(n+1)}$ 이므로 다음과 같은 증감표를 얻는다.

x	$\cdots$	−3	$\cdots$	−1	$\cdots$	0
$f'(x)$	−	0	+	0	−	
$f(x)$	↘	극소	↗	극대	↘	0

그러므로 $f(x)$는 $x=-3$에서 다음과 같은 극솟값을 가진다.

$$f(-3) = -\int_0^{-3} \frac{(t+3)(t+1)}{(n+3)(n+1)}\,dt = -\frac{1}{(n+3)(n+1)}\left[\frac{1}{3}t^3 + 2t^2 + 3t\right]_0^{-3} = 0$$

(1−2) $x < 0$에서 $f(x)$는 극솟값 $f(-3)=0$과 극댓값 $f(-1)$을 가지며 $f(0)=0$이므로 그래프의 개형을 생각하면 $x \leq 0$일 때 $f(x) \geq 0$이다. 한편 $x > 0$에서는

$$f'(x) = \frac{x^3}{n^3} - \frac{(x+3)(x+1)}{(n+3)(n+1)} = \frac{(x-n)\{(n^2+4n+3)x^2 + (4n^2+3n)x + 3n^2\}}{n^3(n+3)(n+1)}$$

이고, 자연수 n과 양수 x에 대하여 $\dfrac{(n^2+4n+3)x^2 + (4n^2+3n)x + 3n^2}{n^3(n+3)(n+1)} > 0$인 것이 자명

하므로 $x > 0$에서 $f'(x)=0$의 해는 $x=n$이 유일하다.
또한
$0 < x < n$ 일 때 $f'(x) < 0$이므로 $f(x)$는 감소하고,
$x > n$ 일 때 $f'(x) > 0$이므로 $f(x)$는 증가한다.
그러므로 $f(x)$는 $x=n$에서 극솟값을 가진다. 따라서 실수 전체의 영역에서의 그래프의
개형을 생각하면 다음과 같다.

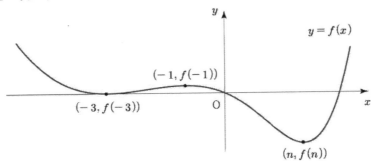

그러므로 $f(x)$의 최솟값은

$$f(n) = \int_0^n \left\{\frac{t^3}{n^3} - \frac{(t+3)(t+1)}{(n+3)(n+1)}\right\}dt = -\frac{n(n+9)}{12(n+1)}$$

이다.

(1−3) 곡선 $y = f(x)$ 위의 점 중에서 접선의 기울기가 0인 점은 방정식 $f'(x) = 0$을 풀면 얻을 수 있다. **(1−1)**의 풀이에서 $x < 0$일 때 방정식 $f'(x) = 0$을 풀면 $x = -3$ 또는 $x = -1$이다.

$$f(-1) = -\int_0^{-1} \frac{(t+3)(t+1)}{(n+3)(n+1)} dt = -\frac{1}{(n+3)(n+1)} \left[\frac{1}{3} t^3 + 2t^2 + 3t \right]_0^{-1} = \frac{4}{3(n+3)(n+1)}$$

이다. **(1−2)**의 풀이에서 $x > 0$에서 방정식 $f'(x) = 0$을 풀면 $x = n$이다. 한편

$$\lim_{x \to 0-} \frac{f(x) - f(0)}{x} = -\frac{3}{(n+3)(n+1)} \neq 0$$

이므로 접선의 기울기가 0인 세 점은 다음과 같다.

$$P(-3, \ 0), \ Q(-1, \ f(-1)), \ R(n, \ f(n))$$

또한 두 점 Q와 R을 지나는 직선이 x축과 만나는 점을 S라 두고 $\alpha_n = \angle QPS$, $\beta_n = \angle PSR$이라 하자.

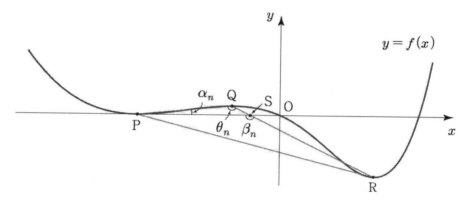

이때

$$\tan \alpha_n = \frac{2}{3(n+1)(n+3)}$$

이고

$$\tan \beta_n = \frac{f(n) - f(-1)}{n+1} = -\frac{n(n+3)(n+9) + 16}{12(n+3)(n+1)^2}$$

이므로

$$\tan(\angle PQR) = \tan(\beta_n - \alpha_n) = \frac{\tan \beta_n - \tan \alpha_n}{1 + \tan \beta_n \tan \alpha_n}$$

$$= \frac{-\dfrac{n(n+3)(n+9) + 16}{12(n+3)(n+1)^2} - \dfrac{2}{3(n+1)(n+3)}}{1 - \dfrac{n(n+3)(n+9) + 16}{12(n+3)(n+1)^2} \times \dfrac{2}{3(n+1)(n+3)}} \quad < 0$$

이다. 따라서 $\angle PQR$이 둔각이므로 $\theta_n = \angle PQR$이다. 그러므로 다음을 얻는다.

$$\lim_{n \to \infty} \tan \theta_n = \lim_{n \to \infty} \tan(\angle PQR) = -\frac{1}{12}$$

(참고) $f(-1) = \dfrac{4}{3(n+3)(n+1)}$, $f(n) = -\dfrac{n(n+9)}{12(n+1)}$ 이고

$$\overline{PQ}^2 = 4 + \{f(-1)\}^2, \quad \overline{QR}^2 = (n+1)^2 + \{f(-1) - f(n)\}^2$$

이다. 따라서 $\overline{PQ} < \overline{QR}$이다.

또한 $\overline{PR}^2 = (n+3)^2 + \{f(n)\}^2$이므로

$$\overline{PR}^2 - \overline{QR}^2 = 4n + 8 + 2f(-1)f(n) - \{f(-1)\}^2 = 4n + 8 - \frac{2(n^3 + 12n^2 + 27n + 8)}{9(n^4 + 8n^3 + 22n^2 + 24n + 9)}$$

이다. 그런데 $\dfrac{n^3 + 12n^2 + 27n + 8}{n^4 + 8n^3 + 22n^2 + 24n + 9} < 1$이므로 $\overline{PR} > \overline{QR}$이다. 따라서 삼각형 PQR에

서 가장 길이가 긴 변은 $\overline{PR}$이고, $\theta_n = \angle PQR$이다.

(별해) 곡선 $y = f(x)$ 위의 점 중에서 접선의 기울기가 0인 점은 방정식 $f'(x) = 0$을 풀

면 얻을 수 있다. (1-1)의 풀이에서 $x < 0$일 때 방정식 $f'(x) = 0$을 풀면 $x = -3$ 또는

$x = -1$이다.

$$f(-1) = -\int_0^{-1} \frac{(t+3)(t+1)}{(n+3)(n+1)}\,dt = -\frac{1}{(n+3)(n+1)}\left[\frac{1}{3}t^3 + 2t^2 + 3t\right]_0^{-1} = \frac{4}{3(n+3)(n+1)}$$

이다. (1-2)의 풀이에서 $x > 0$에서 방정식 $f'(x) = 0$을 풀면 $x = n$이다. 한편

$$\lim_{x \to 0^-} \frac{f(x) - f(0)}{x} = -\frac{3}{(n+3)(n+1)} \neq 0$$

이므로 접선의 기울기가 0인 세 점은 다음과 같다.

$$P(-3, \ 0), \quad Q(-1, \ f(-1)), \quad R(n, \ f(n))$$

또한 두 점 Q와 R을 지나는 직선이 x축과 만나는 점을 S라 두고

$\alpha_n = \angle QPS$, $\beta_n = \angle PSR$이라 하자.

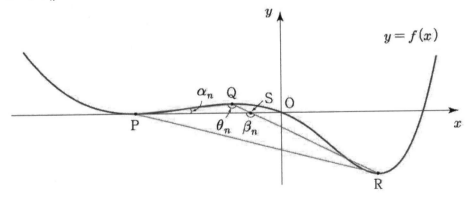

이때

$$0 < \tan\alpha_n = \frac{2}{3(n+1)(n+3)} < 1$$

이므로 $0 < \alpha_n < \dfrac{\pi}{4}$이고,

$$-1 < \tan\beta_n = -\frac{n^2 + 11n + 16}{12n^2 + 48n + 36} < 0$$

이므로 $\frac{3\pi}{4} < \beta_n < \pi$이다. 그러므로 $\frac{\pi}{2} < \angle \mathrm{PQR} = \beta_n - \alpha_n < \pi$이다. 따라서 $\angle \mathrm{PQR}$이 둔각

이므로 $\theta_n = \angle \mathrm{PQR}$이다.

또한 $\displaystyle\lim_{n\to\infty} f(-1) = \lim_{n\to\infty} \frac{4}{3(n+1)(n+3)} = 0$이므로 $\displaystyle\lim_{n\to\infty}\alpha_n = 0$이다. 따라서

$$\lim_{n\to\infty}\tan\theta_n = \lim_{n\to\infty}\tan(\angle\mathrm{PQR}) = \lim_{n\to\infty}\tan(\beta_n - \alpha_n) = \tan\left(\lim_{n\to\infty}(\beta_n - \alpha_n)\right) = \tan\left(\lim_{n\to\infty}\beta_n\right)$$

$$= \lim_{n\to\infty}\tan\beta_n = \lim_{n\to\infty}\frac{f(n) - f(-1)}{n+1} = \lim_{n\to\infty}\left\{-\frac{n(n+3)(n+9) + 16}{12(n+3)(n+1)^2}\right\} = -\frac{1}{12}$$

이다.

(2−1) 조건 (가)로부터 $f(x) = 2x + 1 + (x-a)^2(x-b)^2$으로 쓸 수 있다. 이로부터
$$2 = f'(c) = 2 + 2(c-a)(c-b)(2c-a-b)$$

를 얻고, $c = \dfrac{a+b}{2}$가 된다. 조건 (나)로부터

$$5 = (b-a)^2 + \{f(b) - f(a)\}^2 = (b-a)^2 + \{2(b-a)\}^2 = 5(b-a)^2$$

을 얻는다. 따라서 $b = a+1$이다. 또한 조건 (다)로부터

$$\frac{3}{2} = a + b + c = a + a + 1 + \frac{a+a+1}{2} = 3a + \frac{3}{2}$$

이므로 $a = 0$, $b = 1$이고, $c = \dfrac{a+b}{2} = \dfrac{1}{2}$이다.

(2−2) $f(x) = x^2(x-1)^2 + 2x + 1$, $f'(x) = 4x^3 - 6x^2 + 2x + 2$, $f''(x) = 2(6x^2 - 6x + 1)$이다.
따라서

$0(=a) < x < \dfrac{1}{2} - \dfrac{\sqrt{3}}{6}$일 때 $f''(x) > 0$이므로 $f'(x)$는 증가하고,

$\dfrac{1}{2} - \dfrac{\sqrt{3}}{6} < x < \dfrac{1}{2}(=c)$일 때 $f''(x) < 0$이므로 $f'(x)$는 감소한다.

또한

$f'(0) = f'\left(\dfrac{1}{2}\right) = 2$이므로 $a < x < c$일 때 $f'(x) > 0$이다.

그러므로 $f(x)$는 $a < x < c$일 때 증가함수가 되어 역함수를 가진다.

$\left(f^{-1}\right)'(x) = \dfrac{1}{f'\left(f^{-1}(x)\right)}$ 로부터

$f(a) < x < f(c)$인 x에 대하여 $\left(f^{-1}\right)'(x)$의 최솟값은 $0(=a) < t < \dfrac{1}{2}(=c)$에서 $f'(t)$가 최대일 때이다.

$f'(t)$의 최댓값은 $f''(t) = 0$을 만족시키는 $t = \dfrac{1}{2} - \dfrac{\sqrt{3}}{6}$일 때 생긴다.

따라서 $f'(t)$의 최댓값은 $f'\left(\dfrac{1}{2} - \dfrac{\sqrt{3}}{6}\right) = \dfrac{18 + \sqrt{3}}{9}$이고, 답은 $\dfrac{9}{18 + \sqrt{3}} = \dfrac{3}{107}(18 - \sqrt{3})$이다.

(2-3) $f(x) = x^2(x-1)^2 + 2x + 1$, $f'(x) = 4x^3 - 6x^2 + 2x + 2$, $f''(x) = 2\left(6x^2 - 6x + 1\right)$이다.

따라서 $0(=a) < x < \dfrac{1}{2} - \dfrac{\sqrt{3}}{6}$일 때 $f''(x) > 0$이므로 $f'(x)$는 증가하고,

$\dfrac{1}{2} - \dfrac{\sqrt{3}}{6} < x < \dfrac{1}{2}(=c)$일 때 $f''(x) < 0$이므로 $f'(x)$는 감소한다.

또한 $f'(0) = f'\left(\dfrac{1}{2}\right) = 2$이므로 $a < x < c$일 때 $f'(x) > 0$이다.

그러므로 $f(x)$는 $a < x < c$일 때 증가함수가 되어 역함수를 가진다.

$\left(f^{-1}\right)'(x) = \dfrac{1}{f'\left(f^{-1}(x)\right)}$로부터 $f(a) < x < f(c)$인 x에 대하여

$\left(f^{-1}\right)'(x)$의 최솟값은 $0(=a) < t < \dfrac{1}{2}(=c)$에서 $f'(t)$가 최대일 때이다.

$f'(t)$의 최댓값은 $f''(t) = 0$을 만족시키는 $t = \dfrac{1}{2} - \dfrac{\sqrt{3}}{6}$일 때 생긴다.

따라서 $f'(t)$의 최댓값은 $f'\left(\dfrac{1}{2} - \dfrac{\sqrt{3}}{6}\right) = \dfrac{18 + \sqrt{3}}{9}$이고, 답은 $\dfrac{9}{18 + \sqrt{3}} = \dfrac{3}{107}(18 - \sqrt{3})$이다.

(2-3) 방정식 $f''(x) = 2\left(6x^2 - 6x + 1\right) = 0$의 두 근이 α, β이므로 $\alpha + \beta = 1$, $\alpha\beta = \dfrac{1}{6}$이다. 그런데 $f(x) = x^4 - 2x^3 + x^2 + 2x + 1$이므로, 직선 $y = L(x)$의 기울기는 다음과 같다.

$$\begin{aligned}
\frac{f(\beta) - f(\alpha)}{\beta - \alpha} &= \frac{\beta^4 - \alpha^4 - 2(\beta^3 - \alpha^3) + (\beta^2 - \alpha^2) + 2(\beta - \alpha)}{\beta - \alpha} \\
&= (\beta + \alpha)(\beta^2 + \alpha^2) - 2(\beta^2 + \beta\alpha + \alpha^2) + \beta + \alpha + 2 \\
&= -(\alpha + \beta)^2 + \alpha + \beta + 2 \\
&= 2
\end{aligned}$$

또한 점 $(k,\, f(k))$와 점 $(k + 2f(k),\, 0)$을 지나는 직선의 기울기는 $-\dfrac{f(k)}{2f(k)} = -\dfrac{1}{2}$이므로 이 직선은 직선 $y = L(x)$와 수직이다. 그런데

$$\frac{1}{2}\{f(x)+L(x)+|f(x)-L(x)|\}= \begin{cases} f(x) & (f(x)\geq L(x) \text{ 일 때}) \\ L(x) & (L(x)\geq f(x) \text{ 일 때}) \end{cases}$$

이므로 곡선 $y=\dfrac{1}{2}\{f(x)+L(x)+|f(x)-L(x)|\}$는 아래 그림에서 두껍게 표시된 부분이다. (단, $\alpha < \beta$라 하자.)

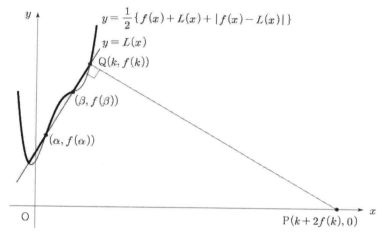

그러므로 선분 PQ의 길이가 최소가 되도록 하는 점 Q는 $(k,\ f(k))$이다.

방정식 $f(x)=L(x)$로부터

$$x^2(x-1)^2+2x+1=2(x-\alpha)+f(\alpha)=2(x-\alpha)+\alpha^2(\alpha-1)^2+2\alpha+1$$

을 얻고, 이를 정리하면 $x^2(x-1)^2=\alpha^2(\alpha-1)^2$이다. 이제 $\alpha(\alpha-1)=-\alpha\beta=-\dfrac{1}{6}$임을 이용하여 인수분해하면

$$\{x^2-x-\alpha(\alpha-1)\}\{x^2-x+\alpha(\alpha-1)\}=\left(x^2-x+\frac{1}{6}\right)\left(x^2-x-\frac{1}{6}\right)=0$$

이며, 이 방정식의 근을 모두 구하면 $\dfrac{1}{2}\pm\dfrac{\sqrt{3}}{6}$, $\dfrac{1}{2}\pm\dfrac{\sqrt{15}}{6}$이고, 이 중에서 가장 큰 것이 k이므로 $k=\dfrac{1}{2}+\dfrac{\sqrt{15}}{6}$이다.

참고 : $f(x)=x^2(x-1)^2+2x+1$이고 $\alpha+\beta=1$이므로 직선 $y=L(x)$의 기울기를 다음과 같이 계산할 수도 있다.

$$\frac{f(\beta)-f(\alpha)}{\beta-\alpha}=\frac{\beta^2(\beta-1)^2+2\beta-\alpha^2(\alpha-1)^2-2\alpha}{\beta-\alpha}$$

$$=\frac{\{\beta(\beta-1)+\alpha(\alpha-1)\}\{\beta(\beta-1)-\alpha(\alpha-1)\}+2(\beta-\alpha)}{\beta-\alpha}$$

$$=\frac{\{\beta(\beta-1)+\alpha(\alpha-1)\}\{\beta^2-\alpha^2-(\beta-\alpha)\}+2(\beta-\alpha)}{\beta-\alpha}$$

$$=\{\beta(\beta-1)+\alpha(\alpha-1)\}\{\beta+\alpha-1\}+2=0+2=2$$

(별해)

$g(x) = \dfrac{1}{2}\{f(x) + L(x) + |f(x) - L(x)|\}$라 하면

$$g(x) = \begin{cases} f(x) & (f(x) \geq L(x) \text{ 일 때}) \\ L(x) & (L(x) \geq f(x) \text{ 일 때}) \end{cases}$$

이다. 따라서 점 P와 직선 $y = L(x)$ 위의 점 R에 대하여 선분 PR의 길이가 최소가 되도록 하는 점 R의 x좌표를 d라고 할 때, $L(d) \geq f(d)$이면 (즉 $g(d) = L(d)$이면) d가 구하는 점 Q의 x좌표가 된다.

방정식 $f''(x) = 2(6x^2 - 6x + 1) = 0$의 두 근이 α, β이므로 $\alpha < \beta$임을 가정하면

$\alpha = \dfrac{1}{2} - \dfrac{\sqrt{3}}{6}$, $\beta = \dfrac{1}{2} + \dfrac{\sqrt{3}}{6}$이다. 따라서 $f(x) = 2x + 1 + x^2(x-1)^2$에서

$$f(\alpha) = 2\left(\frac{1}{2} - \frac{\sqrt{3}}{6}\right) + 1 + \left(\frac{1}{2} - \frac{\sqrt{3}}{6}\right)^2\left(-\frac{1}{2} - \frac{\sqrt{3}}{6}\right)^2 = 2 - \frac{\sqrt{3}}{3} + \left(\frac{1}{4} - \frac{1}{12}\right)^2 = 2 + \frac{1}{36} - \frac{\sqrt{3}}{3}$$

$$f(\beta) = 2\left(\frac{1}{2} + \frac{\sqrt{3}}{6}\right) + 1 + \left(\frac{1}{2} + \frac{\sqrt{3}}{6}\right)^2\left(-\frac{1}{2} + \frac{\sqrt{3}}{6}\right)^2 = 2 + \frac{\sqrt{3}}{3} + \left(\frac{1}{12} - \frac{1}{4}\right)^2 = 2 + \frac{1}{36} + \frac{\sqrt{3}}{3}$$

이다. 즉

$$L(x) = \frac{f(\beta) - f(\alpha)}{\beta - \alpha}(x - \alpha) + f(\alpha) = 2\left(x - \frac{1}{2} + \frac{\sqrt{3}}{6}\right) + 2 + \frac{1}{36} - \frac{\sqrt{3}}{3} = 2x + 1 + \frac{1}{36}$$

이 된다. 따라서

$$f(x) = L(x) \Leftrightarrow x^2(x-1)^2 = \frac{1}{36} \Leftrightarrow \left(x^2 - x + \frac{1}{6}\right)\left(x^2 - x - \frac{1}{6}\right) = 0$$

이므로, k는 위의 방정식의 가장 큰 근이 되어 $k = \dfrac{1}{2} + \dfrac{\sqrt{15}}{6}$이다.

이제 선분 PR의 길이가 최소가 되도록 하는 점 $R(d, L(d))$를 구해보자. 직선 PR과 직선 $y = L(x)$가 수직이어야 하므로 직선 PR의 기울기는 $-\dfrac{1}{2}$이다. 따라서

$$\frac{L(d)}{d - k - 2f(k)} = -\frac{1}{2}$$

를 만족한다. 한편 $f(k) = L(k)$이므로 이 방정식을 정리하면

$$d + 2L(d) = k + 2L(k)$$

가 얻어진다. 즉,

$$d + 4d + \frac{37}{18} = k + 4k + \frac{37}{18}$$

이므로 $d = k$이다. 이때 $g(d) = L(d)$이므로, 구하는 점 Q의 x좌표는

$$k = \frac{1}{2} + \frac{\sqrt{15}}{6}$$

이다.

(3-1) $u = t - x$라 두면 $t = x + u$이므로 치환적분법을 이용하면

$$f(x) = \int_0^x te^{-(t-x)^2}dt = \int_{-x}^0 (x+u)e^{-u^2}du$$

$$= x\int_{-x}^0 e^{-u^2}du - \frac{1}{2}\int_{-x}^0 (-2u)e^{-u^2}du$$

$$= x\int_{-x}^0 e^{-u^2}du - \frac{1}{2}\left[e^{-u^2}\right]_{-x}^0$$

$$= x\int_0^x e^{-u^2}du - \frac{1}{2}\left(1-e^{-x^2}\right)$$

이다. 그러므로

$$f'(x) = \int_0^x e^{-u^2}du + xe^{-x^2} + \frac{1}{2}e^{-x^2}(-2x) = \int_0^x e^{-u^2}du$$

이다. 따라서 $f'(2) = A$이다.

(3-2) 두 식

$$f(x) = x\int_0^x e^{-u^2}du - \frac{1}{2}\left(1-e^{-x^2}\right)$$

$$f'(x) = \int_0^x e^{-u^2}du$$

로부터 $f(x) = xf'(x) - \frac{1}{2}\left(1-e^{-x^2}\right)$을 얻는다. 따라서 $0 < x \le 2$일 때

$$\frac{d}{dx}\left\{\frac{f(x)}{x}\right\} = \frac{f'(x)x - f(x)}{x^2} = \frac{1}{2x^2}\left(1-e^{-x^2}\right) > 0$$

이므로 $\dfrac{f(x)}{x}$는 이 구간에서 증가한다. 따라서 $0 < x \le 2$일 때 $\dfrac{f(x)}{x}$의 최댓값은 $\dfrac{f(2)}{2}$ 이고,

식 $f(x) = x\int_0^x e^{-u^2}du - \frac{1}{2}\left(1-e^{-x^2}\right)$으로부터 $\dfrac{f(2)}{2} = A - \frac{1}{4}\left(1-e^{-4}\right)$이다.

(3-3)

$$f(x) = x\int_0^x e^{-u^2}du - \frac{1}{2}\left(1-e^{-x^2}\right)$$

이고

$$f'(x) = \int_0^x e^{-u^2}du$$

이므로

$$\lim_{x \to 0} \frac{f(x)}{x^2} = \lim_{x \to 0} \frac{xf'(x) - \frac{1}{2}\left(1 - e^{-x^2}\right)}{x^2} = \lim_{x \to 0}\left\{\frac{f'(x)}{x} - \frac{\frac{1}{2}\left(1 - e^{-x^2}\right)}{x^2}\right\}$$

이다. $f'(0) = 0$, $f''(x) = e^{-x^2}$**이므로**

$$\lim_{x \to 0} \frac{f'(x)}{x} = \lim_{x \to 0} \frac{f'(x) - f'(0)}{x} = f''(0) = 1$$

이고

$$\lim_{x \to 0} \frac{\frac{1}{2}\left(1 - e^{-x^2}\right)}{x^2} = \lim_{t \to 0^-} \frac{\frac{1}{2}\left(e^t - 1\right)}{t} = \frac{1}{2} \quad (\Leftarrow t = -x^2)$$

이다. 따라서 $\displaystyle\lim_{x \to 0} \frac{\{f(x)\}^5 f'(x)}{x^{11}} = \lim_{x \to 0}\left\{\frac{f(x)}{x^2}\right\}^5 \times \lim_{x \to 0} \frac{f'(x)}{x} = \frac{1}{32}$ **이다.**

2. 2024학년도 세종대 수시 논술 (B형)

[문제 1] 모든 항이 자연수인 수열 $\{a_n\}$이 모든 자연수 n에 대하여 다음 조건을 만족시킨다.

> (가) $a_n < 10$이면 $a_{n+1} = 2a_n$
>
> (나) $a_n \geq 10$이고 a_n이 짝수이면 $a_{n+1} = \dfrac{a_n}{2} + n + 1$
>
> (다) $a_n \geq 10$이고 a_n이 홀수이면 $a_{n+1} = \dfrac{a_n + 1}{2}$

(1-1) a_2가 홀수인 경우 a_2의 **최솟값**을 구하고, 이때 가능한 a_1의 값을 모두 구하시오. (70점)

(1-2) a_2와 a_3이 모두 10이하의 짝수인 경우 a_1의 **최댓값**을 구하시오. (80점)

(1-3) $a_6 = 12$인 경우 a_4의 **최솟값**과 **최댓값**을 각각 구하시오. (80점)

[문제 2] 실수 전체의 집합에서 정의된 함수 $f(x) = (1 + |x|^3)^{-2}$에 대하여 함수 $g(x)$를 다음과 같이 정의한다.

$$g(x) = \int_x^{x+4} f(t)dt$$

(2-1) $f'(x) < 0$을 만족시키는 실수 x의 값의 범위를 구하시오. 또한 $f''(x) < 0$을 만족시키는 실수 x의 값의 범위를 구하시오. (70점)

(2-2) 함수 $y = f(x)$의 그래프의 개형을 그리시오. 또한 함수 $g(x)$가 $x = a$에서 **최댓값**을 가질 때, a의 값을 구하시오. (80점)

(2-3) (2-2)의 a에 대하여 $\displaystyle\int_0^a t^3 f(t)dt = S$라고 할 때, $g(a) - 4S$의 값을 구하시오. (80점)

[문제 3] 그림과 같이 좌표평면에 중심이 O_1, O_2이고 반지름의 길이가 r, s인 두 원 C_1, C_2가 있다. 두 점 O_1, O_2사이의 거리는 1이다. (단, $0 < r < 1$, $0 < s < 1$) C_1과 C_2의 교점 중 하나를 P라 할 때, 점 P에서 두 원의 접선이 이루는 예각이 $\dfrac{\pi}{6}$이다.

$\angle PO_1O_2 = \alpha$라 하고, 굵은 선으로 표시된 8모양의 도형의 길이를 $f(\alpha)$라 하자.

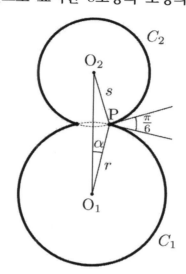

(3-1) $\angle PO_2O_1$의 크기를 α의 식으로 나타내고 α의 범위를 구하시오. 또한 $f(\alpha)$를 구하시오. (80점)

(3-2) 위의 그림에서 C_2중 굵은 선으로 표시된 ○모양의 호의 길이를 $g(\alpha)$라 할 때, $a < g'(\alpha) < b$이다. a의 최댓값과 b의 최솟값을 각각 구하시오. (80점)

(3-3) $f(\alpha)$가 최소가 되도록 하는 α의 값을 구하시오. (80점)

(1-1) $a_1 < 10$이면 조건 (가)에 의해 a_2가 짝수이므로 주어진 조건에 위배되어 $a_1 \geq 10$임을 알 수 있다. $a_1 = 10$일 때는 조건 (나)에 의해 $a_2 = 7$이고, a_1이 12이상의 짝수이면 a_2는 7보다 크다. 따라서 조건 (나)에 의해 만들어지는 a_2의 최솟값은 7이다. 또한 $a_1 = 11$일 때는 $a_2 = 6$인데 이 수는 홀수가 아니므로 조건에 맞지 않는다. $a_1 = 13$일 때는 $a_2 = 7$이고, a_1이 15 이상의 홀수이면 a_2는 7보다 크다. 그러므로 조건 (다)에 의해 만들어지는 a_2의 최솟값은 7이다. 결국 a_2의 최솟값은 7이고, 이때 $a_1 = 10$ 또는 $a_1 = 13$이다.

(1-2) $a_1 = 19$일 때, 조건 (나)와 (다)를 이용하면 $a_2 = 10$, $a_3 = 8$이고, 이 경우 주어진 조건을 모두 만족시킨다.

$a_1 = 20$일 때는 $a_2 = 12 > 10$이므로 주어진 조건을 만족시키지 않는다. 또한 a_1이 20보다 큰 짝수인 경우에도 같은 이유로 주어진 조건을 만족시키지 않음을 알 수 있다.

$a_1 = 21$일 때는 $a_2 = 11 > 10$이므로 주어진 조건을 만족시키지 않는다. 또한 a_1이 21보다 큰 홀수인 경우에도 같은 이유로 주어진 조건을 만족시키지 않음을 알 수 있다. 따라서 주어진 조건을 모두 만족시키는 a_1의 최댓값은 19이다.

참고: (1−2)에 대한 가능한 모든 경우는 다음과 같이 5가지가 있다.

a_1	a_2	a_3
1	2	4
2	4	8
5	10	8
16	10	8
19	10	8

(1−3) $a_6 = 12$일 때 a_5로 가능한 것은 다음과 같이 3가지 경우가 있다.

(i) 조건 (가)에 의해 $a_5 < 10$이고 $12 = a_6 = 2a_5$에서 $a_5 = 6$

(ii) 조건 (나)에 의해 $a_5 \geq 10$이고 a_5가 짝수이며 $12 = a_6 = \dfrac{a_5}{2} + 5 + 1$에서 $a_5 = 12$

(iii) 조건 (다)에 의해 $a_5 \geq 10$이고 a_5가 홀수이며 $12 = a_6 = \dfrac{a_5 + 1}{2}$에서 $a_5 = 23$

또한 이와 같은 방식으로 가능한 a_5, a_4를 모두 찾으면 다음과 같은 표를 완성할 수 있다. (표에서 왼쪽에 있는 수를 얻기 위해 오른쪽에 있는 수에 적용한 조건이 (가), (나), (다) 중 어느 것인지 함께 표시하였다.)

a_6	a_5	a_4	a_3의 예	a_2의 예	a_1의 예
12	6 (가)	3 (가)	없음		
		11 (다)			
	12 (나)	6 (가)	11 (다)	21 (다)	41 (다)
		14 (나)			
		23 (다)			
	23 (다)	36 (나)			
		45 (다)	89 (다)	177 (다)	353 (다)

표에서 a_6, a_5, a_4는 가능한 모든 경우를 표시하였으며, a_3, a_2, a_1은 가능한 경우 중 하나를 표시하였다. (단, a_4가 최소 또는 최대가 아닌 경우는 표시하지 않았다.) 이 표에서

(i) 만일 $a_4 = 3$이면, 이 수가 홀수이므로 조건 (가)에 의해 이 수가 만들어질 수는 없고, $a_3 \geq 10$이다. 만일 조건 (나)로부터 $a_4 = 3$이 만들어지려면 $\dfrac{a_3}{2} = -1$, 즉 $a_3 = -2$여야 하는 데, 이는 a_n의 각 항이 자연수라는 조건에 위배된다. ($a_3 \geq 10$인 조건에도 위배된다.) 또한 조건 (다)로부터 $a_4 = 3$이 만들어지려면 $a_3 = 5$여야 하는데 이는 $a_3 \geq 10$인 조건에 위배된다. 따라서 $a_4 = 3$일 수 없다.

(ii) 표에서 $a_4 = 6$인 경우 a_3, a_2, a_1로 가능한 여러 경우가 있지만, 예를 들어 조건 (다)에서

$$a_n = 2a_{n+1} - 1$$

임을 이용하여 순차적으로 a_3, a_2, a_1의 값을 점점 크게 택할 수 있다. (이 경우 표에 나타낸 것처럼, 계산되는 a_3, a_2, a_1의 값은 모두 10이상의 홀수이다.)

(iii) 표에서 $a_4 = 45$인 경우에도 조건 (다)에서

$$a_n = 2a_{n+1} - 1$$

임을 이용하여 순차적으로 a_3, a_2, a_1의 값을 점점 크게 택할 수 있다. (이 경우 표에 나타낸 것처럼, 계산되는 a_3, a_2, a_1의 값은 모두 10이상의 홀수이다.)

따라서 (i), (ii), (iii)의 결과를 종합하면 a_4의 최솟값은 6이고 최댓값은 45이다.

참고: (1−3)에 대한 가능한 모든 경우는 다음과 같이 49가지가 있다.

a_6	a_5	a_4	a_3	a_2	a_1
12	6	11	14	7	10
					13
				22	40
					43
				27	50
					53
			21	36	68
					71
				41	78
					81
	12	6	11	16	8
					28
					31
				21	38
					41
		14	7	13	22
					25
			20	34	64
					67
				39	74
					77
			27	48	92
					95
				53	102
					105

a_6	a_5	a_4	a_3	a_2	a_1
12	12	23	38	70	136
					139
				75	146
					149
			45	84	164
					167
				89	174
					177
	23	36	64	122	240
					243
				127	250
					253
			71	136	268
					271
				141	278
					281
		45	82	158	312
					315
				163	322
					325
			89	172	340
					343
				177	350
					353

(2−1) $f(x) = \begin{cases}(1+x^3)^{-2} & (x \geq 0) \\ (1-x^3)^{-2} & (x < 0)\end{cases}$ 이므로 $f'(x) = \begin{cases}-6x^2(1+x^3)^{-3} & (x > 0) \\ 6x^2(1-x^3)^{-3} & (x < 0)\end{cases}$ 이다. 한편

$$\lim_{x \to 0+} \frac{f(x)-f(0)}{x} = \lim_{x \to 0+} \frac{1}{x}\left\{\frac{1}{(1+x^3)^2} - 1\right\} = \lim_{x \to 0+} \frac{1}{x}\left\{\frac{-2x^3-x^6}{(1+x^3)^2}\right\} = 0$$

$$\lim_{x \to 0-} \frac{f(x)-f(0)}{x} = \lim_{x \to 0-} \frac{1}{x}\left\{\frac{1}{(1-x^3)^2} - 1\right\} = \lim_{x \to 0-} \frac{1}{x}\left\{\frac{2x^3-x^6}{(1-x^3)^2}\right\} = 0$$

이므로 $f'(0)=0$이다. 따라서 $f'(x)<0$을 만족시키는 x의 값의 범위는 $x>0$이다.

한편 $x>0$이면

$$f''(x) = -12x(1+x^3)^{-3} + 54x^4(1+x^3)^{-4} = 6x(1+x^3)^{-4}(-2+7x^3)$$

이고, $x<0$이면

$$f''(x) = 12x(1-x^3)^{-3} + 54x^4(1-x^3)^{-4} = 6x(1-x^3)^{-4}(2+7x^3)$$

이며,
$$\lim_{x \to 0+} \frac{f'(x) - f'(0)}{x} = \lim_{x \to 0+} \left(-\frac{1}{x} \right) \times 6x^2 (1 + x^3)^{-3} = 0$$

$$\lim_{x \to 0-} \frac{f'(x) - f'(0)}{x} = \lim_{x \to 0-} \frac{1}{x} \times 6x^2 (1 - x^3)^{-3} = 0$$

이므로 $f''(0) = 0$이다. 따라서
$$f''(x) < 0 \iff 0 < x^3 < \frac{2}{7} \text{ 또는 } -\frac{2}{7} < x^3 < 0$$

이다. 그러므로 $f''(x) < 0$을 만족시키는 x의 값의 범위는 $-\sqrt[3]{\dfrac{2}{7}} < x < 0$ 또는 $0 < x < \sqrt[3]{\dfrac{2}{7}}$ 이다.

(2-2) 함수 $f(x)$는 실수 전체의 집합에서 정의되며, $f(x) > 0$이므로 그래프는 x축 위쪽에 있다. 또한 $f(x) = f(-x)$이므로 그래프는 y축에 대하여 대칭이고 $f(0) = 1$이므로 y축과의 교점은 $(0, 1)$이다. 한편 (2-1)의 결과를 이용하면 다음과 같은 증감표를 얻는다.

x	$\cdots$	$-\sqrt[3]{\dfrac{2}{7}}$	$\cdots$	0	$\cdots$	$\sqrt[3]{\dfrac{2}{7}}$	$\cdots$
$f'(x)$	$+$	$+$	$+$	0	$-$	$-$	$-$
$f''(x)$	$+$	0	$-$	0	$-$	0	$+$
$f(x)$	⤴	변곡점	⤴	극대	⤵	변곡점	⤵

즉, 함수 $f(x)$는 $x < 0$일 때 증가하고, $x > 0$일 때 감소하며, 구간 $\left(-\sqrt[3]{\dfrac{2}{7}}, \sqrt[3]{\dfrac{2}{7}} \right)$에서 위로 볼록하다. 또한 $\lim\limits_{x \to \infty} f(x) = 0$, $\lim\limits_{x \to -\infty} f(x) = 0$이므로 그래프의 점근선은 x축이다. 따라서 함수 $f(x)$의 그래프의 개형은 다음과 같다.

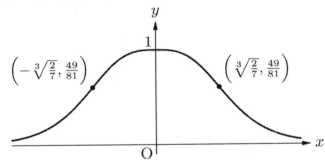

한편 함수 $g(x) = \displaystyle\int_x^{x+4} f(t) dt$의 도함수는 $g'(x) = f(x+4) - f(x)$이다. 따라서
$$g'(x) = 0 \iff f(x+4) = f(x) \iff 1 + |x|^3 = 1 + |x+4|^3 \iff |x| = |x+4| \iff x = -2$$
에서, $x < -2$이면 $f(x+4) > f(x)$이고, $x > -2$이면 $f(x+4) < f(x)$이다.

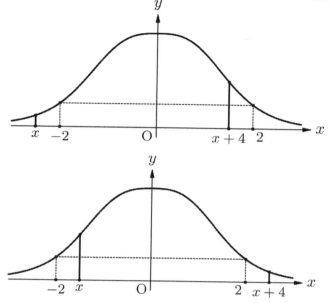

그러므로 $g'(x)$는 $x<-2$일 때 양수이고, $x>-2$일 때 음수이다. 즉 $g(x)$는 $x<-2$일 때 증가하고 $x>-2$일 때 감소하므로, 함수 $g(x)$는 $x=-2$일 때 최댓값을 가진다. 즉 $a=-2$이다.

(별해) 함수 $f(x)$는 실수 전체의 집합에서 정의되며, $f(x)>0$이므로 그래프는 x축 위쪽에 있다. 또한 $f(x)=f(-x)$이므로 그래프는 y축에 대하여 대칭이고 $f(0)=1$이므로 y축과의 교점은 $(0,\ 1)$이다. 한편 $(2-1)$의 결과를 이용하면 다음과 같은 증감표를 얻는다.

x	$\cdots$	$-\sqrt[3]{\dfrac{2}{7}}$	$\cdots$	0	$\cdots$	$\sqrt[3]{\dfrac{2}{7}}$	$\cdots$
$f'(x)$	$+$	$+$	$+$	0	$-$	$-$	$-$
$f''(x)$	$+$	0	$-$	0	$-$	0	$+$
$f(x)$	↗	변곡점	↗	극대	↘	변곡점	↘

즉, 함수 $f(x)$는 $x<0$일 때 증가하고, $x>0$일 때 감소하며, 구간 $\left(-\sqrt[3]{\dfrac{2}{7}},\ \sqrt[3]{\dfrac{2}{7}}\right)$에서 위로 볼록하다. 또한 $\lim\limits_{x\to\infty}f(x)=0,\ \lim\limits_{x\to-\infty}f(x)=0$이므로 그래프의 점근선은 x축이다. 따라서 함수 $f(x)$의 그래프의 개형은 다음과 같다.

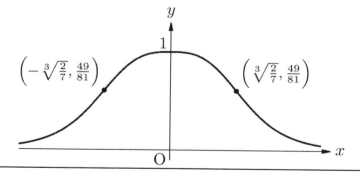

한편 함수 $g(x)$는 구간 $[x, \ x+4]$에서 곡선 $y=f(x)$의 아래 영역의 넓이와 같다. 아래 그림과 같이 $x<-2$이면 구간 $[x, \ -2]$에서의 $y=f(x)$ 아래의 넓이가 구간 $[x+4, \ 2]$에서의 넓이보다 작음을 알 수 있다. 따라서 구간 $[x, \ x+4]$에서의 $y=f(x)$ 아래의 넓이는 구간 $[-2, \ 2]$에서의 $y=f(x)$ 아래의 넓이보다 작다. 같은 방법으로 $x>-2$이면 구간 $[-2, \ x]$에서의 $y=f(x)$ 아래의 넓이가 구간 $[2, \ x+4]$에서의 넓이보다 크므로, 구간 $[x, \ x+4]$에서의 $y=f(x)$ 아래의 넓이는 구간 $[-2, \ 2]$에서의 $y=f(x)$ 아래의 넓이보다 작다.

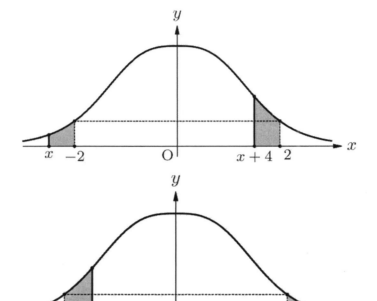

이로부터 $x\neq-2$이면 $g(x)=\displaystyle\int_{x}^{x+4}f(t)dt<\int_{-2}^{2}f(t)dt=g(-2)$임을 알 수 있고, 함수 $g(x)$는 $x=-2$일 때 최댓값을 가진다. 즉 $a=-2$이다.

(참고) 함수 $g(x)=\displaystyle\int_{x}^{x+4}f(t)dt$의 도함수는 $g'(x)=f(x+4)-f(x)$이다. 한편

$$f(x+4)-f(x)=\frac{1}{\left(1+|x+4|^3\right)^2}-\frac{1}{\left(1+|x|^3\right)^2}=\frac{\left(1+|x|^3\right)^2-\left(1+|x+4|^3\right)^2}{\left(1+|x|^3\right)^2\left(1+|x+4|^3\right)^2}$$

$$=\frac{\left(|x|^3-|x+4|^3\right)\left(2+|x|^3+|x+4|^3\right)}{\left(1+|x|^3\right)^2\left(1+|x+4|^3\right)^2}$$

이고, $\dfrac{2+|x|^3+|x+4|^3}{\left(1+|x|^3\right)^2\left(1+|x+4|^3\right)^2}>0$이므로

$$g'(x)>0 \iff |x|^3>|x+4|^3 \iff x<-2$$

이다. 즉 $g(x)$는 $x<-2$일 때 증가하고 $x>-2$일 때 감소하므로, 함수 $g(x)$는 $x=-2$일 때 최댓값을 가진다. 즉 $a=-2$이다.

(2−3) $f(t)=f(-t)$**임을 이용하면**

$$g(a)=g(-2)=\int_{-2}^{2}f(t)dt=2\int_{-2}^{0}f(t)dt=-2\int_{0}^{-2}f(t)dt$$

이다. 또한

$$S=\int_{0}^{-2}\frac{t^3}{(1-t^3)^2}dt=\int_{0}^{-2}\frac{1}{3}t\times\frac{3t^2}{(1-t^3)^2}dt=\left[\frac{1}{3}t(1-t^3)^{-1}\right]_{0}^{-2}-\frac{1}{3}\int_{0}^{-2}\frac{1}{1-t^3}dt$$

$$=-\frac{2}{27}-\frac{1}{3}\int_{0}^{-2}\frac{1}{(1-t^3)^2}dt+\frac{1}{3}\int_{0}^{-2}\frac{t^3}{(1-t^3)^2}dt=-\frac{2}{27}-\frac{1}{3}\int_{0}^{-2}f(t)dt+\frac{1}{3}S$$

$$=-\frac{2}{27}+\frac{1}{6}g(a)+\frac{1}{3}S$$

이므로 $g(a)-4S=\dfrac{4}{9}$ **이다.**

(별해)

$$S=\int_{0}^{a}t^3f(t)dt=\int_{0}^{-2}\frac{t^3}{(1-t^3)^2}dt=\int_{0}^{-2}\frac{t^3-1}{(1-t^3)^2}dt+\int_{0}^{-2}\frac{1}{(1-t^3)^2}dt$$

$$=-\int_{0}^{-2}\frac{1}{1-t^3}dt-\frac{1}{2}g(a)=-\left[\frac{t}{1-t^3}\right]_{0}^{-2}+\int_{0}^{-2}\frac{t\times3t^2}{(1-t^3)^2}dt-\frac{1}{2}g(a)$$

$$=\frac{2}{9}+3S-\frac{1}{2}g(a)$$

이므로 $g(a)-4S=\dfrac{4}{9}$ **이다.**

(3−1) $\angle PO_2O_1=\beta$**라 하자. 원** C_1**의 점** P**에서의 접선과 선분** PO_1**이 서로 수직이며, 원** C_2**의 점** P**에서의 접선과 선분** PO_2**가 서로 수직이므로** $\angle O_1PO_2=\dfrac{5\pi}{6}$ **이다. 따라서** $\alpha+\beta=\dfrac{\pi}{6}$ **이므로,** $\angle PO_2O_1=\beta=\dfrac{\pi}{6}-\alpha$ **이다. 그리고** $\alpha>0$, $\beta>0$**이므로** $0<\alpha<\dfrac{\pi}{6}$ **이다. 또한, 삼각형** O_1O_2P**에 사인법칙을 적용하면**

$$\frac{s}{\sin\alpha}=\frac{r}{\sin\beta}=\frac{1}{\sin\dfrac{5\pi}{6}}=2$$

이므로 $s=2\sin\alpha$, $r=2\sin\beta$**이다.**
그러므로 구하는 길이 중 C_1**에 속하는 부분의 길이는** $2(\pi-\alpha)r=4(\pi-\alpha)\sin\beta$**이고,** C_2**에 속하는 부분의 길이는** $2(\pi-\beta)s=4(\pi-\beta)\sin\alpha$**이다. 따라서 다음을 얻는다.**

$$f(\alpha)=4(\pi-\alpha)\sin\beta+4(\pi-\beta)\sin\alpha=4(\pi-\alpha)\sin\left(\frac{\pi}{6}-\alpha\right)+4\left(\frac{5\pi}{6}+\alpha\right)\sin\alpha$$

(별해) $\angle PO_2O_1 = \beta$라 하자. 삼각형 O_1O_2P에서 연립방정식

$$\begin{cases} r\sin\alpha = s\sin\beta \\ r\cos\alpha + s\cos\beta = 1 \end{cases}$$

을 얻고, s를 소거하면 $r\sin\alpha\cos\beta + r\cos\alpha\sin\beta = \sin\beta$가 된다. 이 식의 좌변에 삼각함수의 덧셈정리를 적용하면 $r\sin(\alpha+\beta) = \sin\beta$이며, $\alpha + \beta = \dfrac{\pi}{6}$임을 이용하면 $r = 2\sin\beta$이다. 비슷한 방법으로 연립방정식의 r을 소거하여 계산하면 $s = 2\sin\alpha$이다. 따라서 다음을 얻는다.

$$f(\alpha) = 4(\pi-\alpha)\sin\beta + 4(\pi-\beta)\sin\alpha = 4(\pi-\alpha)\sin\left(\frac{\pi}{6}-\alpha\right) + 4\left(\frac{5\pi}{6}+\alpha\right)\sin\alpha$$

(3-2) $g(\alpha) = 4(\pi-\beta)\sin\alpha = 4\left(\dfrac{5\pi}{6}+\alpha\right)\sin\alpha$이고, $g'(\alpha) = 4\left\{\sin\alpha + \left(\dfrac{5\pi}{6}+\alpha\right)\cos\alpha\right\}$,

$g''(\alpha) = 4\left\{2\cos\alpha - \left(\dfrac{5\pi}{6}+\alpha\right)\sin\alpha\right\}$이다. 그런데 $0 < \alpha < \dfrac{\pi}{6}$이므로 $2\cos\alpha > \sqrt{3}$이고,

$\left(\dfrac{5\pi}{6}+\alpha\right)\sin\alpha < \dfrac{\pi}{2}$이다. 그러므로

$$g''(\alpha) = 4\left\{2\cos\alpha - \left(\frac{5\pi}{6}+\alpha\right)\sin\alpha\right\} > 4\left(\sqrt{3} - \frac{\pi}{2}\right) > 0$$

이고, $g'(\alpha)$는 증가함수이다. 그런데 $\displaystyle\lim_{\alpha\to 0+} g'(\alpha) = \dfrac{10\pi}{3}$, $\displaystyle\lim_{\alpha\to\frac{\pi}{6}-} g'(\alpha) = 2 + 2\sqrt{3}\pi$이므로 a

의 최댓값은 $\dfrac{10\pi}{3}$이고 b의 최솟값은 $2 + 2\sqrt{3}\pi$이다.

(3-3) $$f(\alpha) = 4(\pi-\alpha)\sin\left(\frac{\pi}{6}-\alpha\right) + 4\left(\frac{5\pi}{6}+\alpha\right)\sin\alpha = g\left(\frac{\pi}{6}-\alpha\right) + g(\alpha)$$

이다. 따라서,

$$f'(\alpha) = -g'\left(\frac{\pi}{6}-\alpha\right) + g'(\alpha)$$

이다. 그런데 (3-2)로부터 $g'(\alpha)$는 증가함수이다. 따라서 $0 < x < \dfrac{\pi}{6}$, $0 < y < \dfrac{\pi}{6}$일 때 $g'(x) = g'(y)$이면 $x = y$이다. 그러므로, $f'(\alpha) = g'(\alpha) - g'\left(\dfrac{\pi}{6}-\alpha\right) = 0$이기 위해서는 $\alpha = \dfrac{\pi}{6}-\alpha$이어야 한다. 즉, $0 < \alpha < \dfrac{\pi}{6}$에서 $f'(\alpha) = 0$인 곳은 $\alpha = \dfrac{\pi}{12}$뿐이다. 또한 (3-2)로부터 $g''(\alpha) > 0$이므로, $f''\left(\dfrac{\pi}{12}\right) = g''\left(\dfrac{\pi}{12}\right) + g''\left(\dfrac{\pi}{12}\right) > 0$이고, $\alpha = \dfrac{\pi}{12}$에서 $f(\alpha)$는 최솟값을 갖는다.

(별해)

$$f(\alpha) = 4\left\{(\pi - \alpha)\sin\left(\frac{\pi}{6} - \alpha\right) + \left(\alpha + \frac{5\pi}{6}\right)\sin\alpha\right\} = 4\left\{(\alpha - \pi)\sin\left(\alpha - \frac{\pi}{6}\right) + \left(\alpha + \frac{5\pi}{6}\right)\sin\alpha\right\}$$

이다. 또한

$$f\left(\frac{\pi}{6} - \alpha\right) = 4\left\{\left(\alpha + \frac{5\pi}{6}\right)\sin\alpha + (\pi - \alpha)\sin\left(\frac{\pi}{6} - \alpha\right)\right\}$$

$$= 4\left\{(\alpha - \pi)\sin\left(\alpha - \frac{\pi}{6}\right) + \left(\alpha + \frac{5\pi}{6}\right)\sin\alpha\right\}$$

$$= f(\alpha)$$

이다. 따라서 $f\left(\frac{\pi}{12} + \alpha\right) = f\left(\frac{\pi}{6} - \left(\frac{\pi}{12} - \alpha\right)\right) = f\left(\frac{\pi}{12} - \alpha\right)$ 이므로 곡선 $y = f(\alpha)$ 의 그래프는 직

선 $\alpha = \frac{\pi}{12}$ 를 중심으로 대칭이다. 그러므로

$$f'\left(\frac{\pi}{12}\right) = \lim_{h \to 0}\frac{f\left(\frac{\pi}{12} + h\right) - f\left(\frac{\pi}{12}\right)}{h} = \lim_{h \to 0}\frac{f\left(\frac{\pi}{12} - h\right) - f\left(\frac{\pi}{12}\right)}{h}$$

$$= -\lim_{h \to 0}\frac{f\left(\frac{\pi}{12} - h\right) - f\left(\frac{\pi}{12}\right)}{-h} = -f'\left(\frac{\pi}{12}\right)$$

이고 $2f'\left(\frac{\pi}{12}\right) = 0$, 즉 $f'\left(\frac{\pi}{12}\right) = 0$이다. 이제 $0 < \alpha < \frac{\pi}{6}$일 때

$$f'(\alpha) = 4\left\{\sin\left(\alpha - \frac{\pi}{6}\right) + (\alpha - \pi)\cos\left(\alpha - \frac{\pi}{6}\right) + \sin\alpha + \left(\alpha + \frac{5\pi}{6}\right)\cos\alpha\right\}$$

$$f''(\alpha) = 4\left\{2\cos\left(\alpha - \frac{\pi}{6}\right) - (\alpha - \pi)\sin\left(\alpha - \frac{\pi}{6}\right) + 2\cos\alpha - \left(\alpha + \frac{5\pi}{6}\right)\sin\alpha\right\}$$

$$\geq 4\left\{2\cos\left(-\frac{\pi}{6}\right) - \pi\sin\frac{\pi}{6} + 2\cos\frac{\pi}{6} - \pi\sin\frac{\pi}{6}\right\}$$

$$= 4\left(\sqrt{3} - \frac{\pi}{2} + \sqrt{3} - \frac{\pi}{2}\right) = 4(2\sqrt{3} - \pi) > 0$$

이므로 함수 $f'(\alpha)$는 구간 $\left(0, \frac{\pi}{6}\right)$에서 증가하고, 방정식 $f'(\alpha) = 0$의 해는 단 하나만 존

재하며, 이는 $\alpha = \frac{\pi}{12}$이다. 또한 $0 < \alpha < \frac{\pi}{12}$일 때 $f'(\alpha) < 0$이고 $\frac{\pi}{12} < \alpha < \frac{\pi}{6}$일 때

$f'(\alpha) > 0$이다. 즉, $0 < \alpha < \frac{\pi}{12}$일 때 $f(\alpha)$는 감소하고 $\frac{\pi}{12} < \alpha < \frac{\pi}{6}$일 때 $f(\alpha)$는 증가한

다. 따라서 $\alpha = \frac{\pi}{12}$에서 $f(\alpha)$는 최솟값을 갖는다.

3. 2024학년도 세종대 모의 논술

[문제 1] 모든 항이 자연수인 수열 $\{a_n\}$이 다음 조건을 만족시킨다.

> (가) $a_5 = 4$이고 $a_2 < 200$
>
> (나) 모든 자연수 n에 대하여 $a_{n+2} = \begin{cases} 2a_n & (a_{n+1} \leq 80) \\ a_{n+1} - 80 & (a_{n+1} > 80) \end{cases}$

(1-1) (70점) a_2의 최댓값을 구하시오.

(1-2) (80점) a_1이 될 수 있는 서로 다른 모든 수의 합을 구하시오.

(1-3) (80점) $a_8 \leq 90$일 때, a_9가 될 수 있는 서로 다른 모든 수의 합을 구하시오.

[문제 2] 실수 전체의 집합에서 정의된 함수 $f(x)$에 대하여 $y = f(x)$라 할 때 $e^{x+y} + y - x = 0$이 성립한다.

(2-1) (70점) 곡선 $y = f(x)$위의 점 $\left(\dfrac{1}{2}, -\dfrac{1}{2}\right)$에서의 접선의 기울기를 구하시오.

(2-2) (80점) 곡선 $y = f(x)$가 실수 전체의 집합에서 위로 볼록함을 보이시오.

(2-3) (80점) 직선 $y = \dfrac{x}{2} - \dfrac{1}{2}$위의 점 P와 곡선 $y = f(x)$위의 점 Q사이의 거리가 최소가 되도록 하는 Q의 좌표를 구하시오.

[문제 3] 구간 $[-1, 1]$에서 정의되는 연속함수 $f(x)$가 다음 조건을 만족시킨다.

> (가) 모든 $x \in (-1, 1)$에 대하여 $f(x) > 0$
>
> (나) $f(0) = \displaystyle\int_{-1}^{1} f(x)dx$

실수 $x \in [-1, 1]$와 $t > 0$에 대하여 $g(x) = \displaystyle\int_{-1}^{x}(x-y)f(y)dy + t\int_{x}^{1}(y-x)f(y)dy$라고 정의

할 때, $g(x)$가 최소가 되도록 하는 $x \in (-1, 1)$의 값을 $h(t)$라고 하자.

(3-1) (80점) $\dfrac{1}{f(0)}\displaystyle\int_{-1}^{h(t)} f(x)dx$를 t의 식으로 나타내시오.

(3-2) (80점) $h(t)$가 $t > 0$에서 미분가능하고 $h(1) = 0$일 때 $h'(1)$의 값을 구하시오.

(3-3) (80점) $f(x)$가

$$f(x) = \begin{cases} 1 + x & (-1 \leq x \leq 0) \\ 1 - x & (0 < x \leq 1) \end{cases}$$

로 주어질 때, $h(t)$를 구하시오.

> **[문제 1]**
> **(1-1)** (가) 조건에 의해 $a_5 = 4$이며, (나) 조건을 생각하면 다음과 같이 나눌 수 있다.

(i) $a_4 \le 80$인 경우:

$a_5 = 2a_3$에서 $a_3 = 2 \le 80$이므로 $a_4 = 2a_2$이고 $a_2 = \dfrac{a_4}{2} \le \dfrac{80}{2} \le 40$이다.

(ii) $a_4 > 80$인 경우:

$a_5 = a_4 - 80$에서 $a_4 = 84$이다. 만일 $a_3 \le 80$이면 $a_4 = 2a_2$에서 $a_2 = 42$이다. 반대로 $a_3 > 80$이면 $a_4 = a_3 - 80$에서 $a_3 = a_4 + 80 = 164$이다. 만일 $a_2 > 80$이면 $a_3 = a_2 - 80$에서 $a_2 = a_3 + 80 = 244$인데 이는 (가) 조건 $a_2 < 200$을 만족시키지 않는다. 따라서 $a_2 \le 80$이다.

이 경우 a_2는 80이하의 모든 자연수를 값으로 가질 수 있고, $a_1 = \dfrac{a_3}{2} = 82$이다. 실제로 $a_1 = 82$, $a_2 = 80$, $a_3 = 164$, $a_4 = 84$, $a_5 = 4$이면 문제의 주어진 조건을 모두 만족시키는 것을 확인할 수 있다. 따라서 a_2의 최댓값은 80이다.

참고: $(1-1)$의 상황을 그림으로 정리하면 다음과 같다.

(다른 풀이) $80 < a_2 \le 160$인 경우와 $a_2 > 160$인 경우를 각각 생각해보자.

(i) $80 < a_2 \le 160$인 경우:

이 경우 $a_3 = a_2 - 80 \le 80$이므로 $a_4 = 2a_2 > 160$이다. 따라서 $a_5 = a_4 - 80$인데, (가) 조건에서 $a_5 = 4$이므로 $a_4 = 84$이고, 이는 $a_4 > 160$임에 모순이다. 즉, 이 경우는 가능하지 않다.

(ii) $a_2 > 160$인 경우:

이 경우 $a_3 = a_2 - 80 > 80$이므로 $a_4 = a_3 - 80 = a_2 - 160$이다. $a_5 = 4$이기 위해서는 $a_4 \le 80$일 때 $a_3 = \dfrac{a_5}{2} = 2$이거나, $a_4 > 80$일 때 $a_5 = a_4 - 80 = a_2 - 240$이다. 전자의 경우 $a_2 = 82$이므로 $a_2 > 160$임에 모순이고, 후자의 경우 $a_2 = 244$로 **(가)** 조건에서 $a_2 < 200$임에 모순이다. 그러므로 이 경우도 가능하지 않다.

따라서 문제의 수열은 $a_2 \le 80$을 만족하여야 한다. 한편 예를 들어 $a_1 = 82$, $a_2 = 80$, $a_3 = 164$, $a_4 = 84$, $a_5 = 4$이면 주어진 조건을 모두 만족하므로, a_2의 최댓값은 80이다.

(1-2) (1-1)에서 $a_2 \le 80$이므로 $a_3 = 2a_1$이 성립한다. 따라서 $a_1 = \dfrac{a_3}{2}$이다 (1-1)의 풀이 과정에서 a_3이 가질 수 있는 값은 80 이하의 짝수 또는 164이다. 이를 종합하면 다음과 같은 표를 만들 수 있고, 이때 a_1, a_2, $\cdots$, a_5가 문제의 조건을 모두 만족시킴을 확인할 수 있다.

a_1	a_2	a_3	a_4	a_5
1	1, 2, $\cdots$, 40	2	2, 4, $\cdots$, 80	
1, 2, $\cdots$, 40	42	2, 4, $\cdots$, 80	84	4
82	1, 2, $\cdots$, 80	164		

즉, a_1의 값은 40이하의 자연수 또는 82가 될 수 있으므로, a_1이 가질 수 있는 서로 다른 모든 수의 합은 다음과 같다.

$$\sum_{k=1}^{40} k + 82 = \frac{40 \cdot 41}{2} + 82 = 820 + 82 = 902$$

(1-3) $a_5 = 4$는 80보다 작으므로 $a_6 = 2a_4$를 만족시킨다.

(i) $a_4 \le 40$인 경우:

$a_6 \le 80$이므로 $a_7 = 2a_5 = 8$이다. 따라서 $a_8 = 2a_6 = 4a_4$인데, (1-2)의 풀이에서 a_4가 짝수이므로 a_8은 8의 배수이다. 만일 $a_4 \le 20$이면 $a_8 \le 80$이 되어 $a_9 = 2a_7 = 16$이다. 한편 $20 < a_4 \le 40$이면 $a_8 > 80$이고, (1-3)에서 주어진 조건 $a_8 \le 90$을 생각하면 $a_8 = 88$이다. 이때 $a_9 = a_8 - 80 = 8$이다.

(ii) $40 < a_4 \le 80$인 경우:

$a_6 = 2a_4$이므로 $80 < a_6 \le 160$이고, $a_7 = a_6 - 80$이므로 $0 < a_7 \le 80$이다. 따라서 $a_8 = 2a_6 > 160$이므로 주어진 조건 $a_8 \le 90$을 만족시키지 않는다. 따라서 이 경우는 가능하지않다.

(iii) $a_4 > 80$인 경우:

(1-1)의 풀이에서 $a_4 = 84$이고, $a_6 = 2a_4 = 168 > 80$이므로 $a_7 = a_6 - 80 = 88 > 80$,

$a_8 = a_7 - 80 = 8 \le 80$**이다. 따라서** $a_9 = 2a_7 = 176$**이다.**

그러므로 (i), (iii)의 경우를 종합하면 다음과 같은 표를 만들 수 있고, 이때 a_1, a_2, ⋯, a_9가 문제의 조건을 모두 만족시킴을 확인할 수 있다.

a_1	a_2	a_3	a_4	a_5	a_6	a_7	a_8	a_9
1	1, 2, ⋯,	2	2, 4, ⋯,		4, 8, ⋯,		8, 16, ⋯,	16
1	11	2	22	4	44	8	88	8
1, 2, ⋯,	42	2, 4, ⋯,	84	4	168	8	8	176
84	1, 2, ⋯,	164				88		

따라서 a_9가 가질 수 있는 서로 다른 모든 수의 합은 다음과 같다.

$$16 + 8 + 176 = 200$$

참고: $(1-3)$**의 상황을 그림으로 정리하면 다음과 같다.**

[문제 2]

$(2-1)$ 음함수의 미분법에 의하여 식 $e^{x+y} + y - x = 0$의 양변을 미분하면 $e^{x+y}(1+y') + y' - 1 = 0$이고, 이를 정리하면 $y' = \dfrac{1 - e^{x+y}}{1 + e^{x+y}}$이다. 이 식에 $x = \dfrac{1}{2}$, $y = -\dfrac{1}{2}$을 대입하면 접선의 기울기는 0이다.

$(2-2)$ $y' = \dfrac{1 - e^{x+y}}{1 + e^{x+y}}$이고 식 $e^{x+y} + y - x = 0$으로부터 $y' = \dfrac{1 - e^{x+y}}{1 + e^{x+y}} = \dfrac{1 - x + y}{1 + x - y}$가 된다.

127

이로부터 $y'' = \dfrac{2(y'-1)}{(1+x-y)^2}$ 을 얻는다. 또한 $y'-1 = \dfrac{-2e^{x+y}}{1+e^{x+y}} < 0$이므로

$y' < 1$이고 $y'' = \dfrac{2(y'-1)}{(1+x-y)^2} < 0$이다. 따라서 곡선 $y=f(x)$는 실수 전체의 집합에서 위로 볼록하다.

(다른 풀이 1)

$y' = \dfrac{1-e^{x+y}}{1+e^{x+y}}$ 이므로 $1+y' = 1 + \dfrac{1-e^{x+y}}{1+e^{x+y}} = \dfrac{2}{1+e^{x+y}}$ 이고

$$y'' = \frac{(-e^{x+y})(1+y')(1+e^{x+y}) - (1-e^{x+y})e^{x+y}(1+y')}{(1+e^{x+y})^2}$$

$$= \frac{2(-e^{x+y})(1+e^{x+y}) - 2(1-e^{x+y})e^{x+y}}{(1+e^{x+y})^3}$$

$$= -\frac{4e^{x+y}}{(1+e^{x+y})^3}$$

$$< 0$$

이다. 따라서 곡선 $y=f(x)$는 실수 전체의 집합에서 위로 볼록하다.

(다른 풀이 2)

(2−1)의 풀이에서 $e^{x+y}(1+y') + y' - 1 = 0$을 얻은 후 양변을 미분하면

$$e^{x+y}(1+y')^2 + e^{x+y}y'' + y'' = 0$$

이다. 그러므로 $y'' = -\dfrac{e^{x+y}(1+y')^2}{e^{x+y}+1}$인데

$1+y' = 1 + \dfrac{1-e^{x+y}}{1+e^{x+y}} = \dfrac{2}{1+e^{x+y}}$ 임을 이용하면

$$y'' = -\frac{4e^{x+y}}{(e^{x+y}+1)^3} < 0$$

이 되어 곡선 $y=f(x)$는 실수 전체의 집합에서 위로 볼록하다.

(2−3) 곡선 $y=f(x)$위의 점 Q(a, b)에서의 기울기가 $\dfrac{1}{2}$인 접선을 l이라 할 때,

$y' = \dfrac{1-e^{a+b}}{1+e^{a+b}} = \dfrac{1}{2}$로부터 $a+b = -\ln 3$이 되고, $e^{a+b} + b - a = 0$으로부터 $a-b = \dfrac{1}{3}$을 얻는다.

이 두 식을 연립하면, $a = \dfrac{1}{2}\left(\dfrac{1}{3} - \ln 3\right)$, $b = -\dfrac{1}{2}\left(\dfrac{1}{3} + \ln 3\right)$이다. 직선 l의 y절편은

$$-\frac{a}{2}+b=-\frac{1}{4}-\frac{1}{4}\ln 3 < -\frac{1}{4}-\frac{1}{4} < -\frac{1}{2}$$

이 된다. 곡선 $y=f(x)$는 위로 볼록하여 접선 l의 오른쪽에 위치하고, 또한 l의 y절편은 $-\frac{1}{2}$보다 작으므로 곡선 $y=f(x)$는 직선 $y=\frac{x}{2}-\frac{1}{2}$과 만나지 않는다. 직선 $y=\frac{x}{2}-\frac{1}{2}$과 접선 l은 평행하고 곡선 $y=f(x)$는 직선 ℓ의 오른쪽에 위치하므로 직선 $y=\frac{x}{2}-\frac{1}{2}$위의 점 P와 곡선 $y=f(x)$위의 점 Q사이의 거리가 최소가 되는 Q의 좌표는 $\left(\frac{1}{2}\left(\frac{1}{3}-\ln 3\right), -\frac{1}{2}\left(\frac{1}{3}+\ln 3\right)\right)$이다.

(다른 풀이) $y=f(x)$위의 점 (x_0, y_0)과 직선 $y=\frac{x}{2}-\frac{1}{2}$위의 점 사이의 최소 거리는 점 (x_0, y_0)과 직선 $x-2y-1=0$사이의 거리와 같으므로

$$\frac{|x_0-2y_0-1|}{\sqrt{5}} \quad \cdots\cdots \quad (*)$$

과 같다. 이제 $g(x)=\dfrac{x-2f(x)-1}{\sqrt{5}}$이라 정의하자. 그러면 $x-f(x)=e^{x+f(x)}$이므로

$$g(x)=\frac{e^{x+f(x)}-f(x)-1}{\sqrt{5}}$$

이다. 그런데 $f'(x)=\dfrac{1-e^{x+f(x)}}{1+e^{x+f(x)}}$임을 이용하면

$$g'(x)=\frac{(1+f'(x))e^{x+f(x)}-f'(x)}{\sqrt{5}}=\frac{3e^{x+f(x)}-1}{\sqrt{5}\left(1+e^{x+f(x)}\right)}$$

이고

$$g''(x)=\frac{(1+f'(x))3e^{x+f(x)}\left(1+e^{x+f(x)}\right)-(1+f'(x))\left(3e^{x+f(x)}-1\right)e^{x+f(x)}}{\sqrt{5}\left(1+e^{x+f(x)}\right)^2}$$

$$=\frac{8e^{x+f(x)}}{\sqrt{5}\left(1+e^{x+f(x)}\right)^3}$$

$$>0$$

이므로, $g'(a)=0$을 만족시키는 a에 대하여 $g(x) \geq g(a)$이다. $b=f(a)$라고 정의하면 a, b는

$$\begin{cases} 3e^{a+b}=1 \\ a-b=e^{a+b} \end{cases} \Leftrightarrow \begin{cases} a+b=-\ln 3 \\ a-b=\dfrac{1}{3} \end{cases}$$

을 만족시킨다. 이 연립방정식을 풀면 $a=\dfrac{1}{2}\left(\dfrac{1}{3}-\ln 3\right)$, $b=-\dfrac{1}{2}\left(\dfrac{1}{3}+\ln 3\right)$이므로

$g(a) = \dfrac{\ln 3 - 1}{2\sqrt{5}} > 0$이다. 따라서 모든 x에 대하여 $g(x) > 0$이고, (*)는 $\dfrac{x_0 - 2y_0 - 1}{\sqrt{5}}$과 같

아진다. 즉 직선 $y = \dfrac{x}{2} - \dfrac{1}{2}$ 위의 점 P와 곡선 $y = f(x)$ 위의 점 Q사이의 거리가 최소가

되는 Q의 x좌표는 $y = g(x)$를 최소로 만드는 x의 값인 a와 같고, 점 Q의 좌표는

$\left(\dfrac{1}{2}\left(\dfrac{1}{3} - \ln 3\right),\ -\dfrac{1}{2}\left(\dfrac{1}{3} + \ln 3\right)\right)$이다.

[문제 3]

(3-1) 함수 $g(x)$를 다시 쓰면

$$g(x) = x\int_{-1}^{x} f(y)dy - \int_{-1}^{x} yf(y)dy + t\left(\int_{x}^{1} yf(y)dy - x\int_{x}^{1} f(y)dy\right)$$

이다. 따라서 함수 $g(x)$는 $(-1,\ 1)$에서 미분가능하며

$$g'(x) = \int_{-1}^{x} f(y)dy + xf(x) - xf(x) + t\left(-xf(x) - \int_{x}^{1} f(y)dy + xf(x)\right)$$

$$= \int_{-1}^{x} f(y)dy - t\int_{x}^{1} f(y)dy$$

$$= \int_{-1}^{x} f(y)dy - t\left(\int_{-1}^{1} f(y)dy - \int_{-1}^{x} f(y)dy\right)$$

$$= (1+t)\left(\int_{-1}^{x} f(y)dy - \frac{t}{1+t}\int_{-1}^{1} f(y)dy\right)$$

이다. $F(x) = \displaystyle\int_{-1}^{x} f(y)dy$라고 정의하면, $F(-1) = 0$, $F(1) = \displaystyle\int_{-1}^{1} f(y)dy = f(0)$이고 $F(x)$는

증가함수이므로 $g'(x) = (1+t)\left(F(x) - \dfrac{t}{1+t}f(0)\right)$도 증가함수이다. 또한 $t > 0$이므로

$0 < \dfrac{t}{1+t}f(0) < f(0)$이다. 그러므로 $F(a) = \dfrac{t}{1+t}f(0)$을 만족시키는 $a \in (-1,\ 1)$가 유일

하게 존재하며 $x < a$이면 $g'(x) < 0$이고 $x > a$이면 $g'(x) > 0$이다. 따라서 $g(x)$는 $x = a$에

서 최솟값을 가지며 $g'(a) = 0$이다. 즉 $F(h(t)) = \displaystyle\int_{-1}^{h(t)} f(x)dx = \dfrac{t}{1+t}f(0)$이 성립하므로,

$\dfrac{1}{f(0)}\displaystyle\int_{-1}^{h(t)} f(x)dx = \dfrac{t}{1+t}$이다.

(3-2) (3-1)에서 $\dfrac{1}{f(0)}\displaystyle\int_{-1}^{h(t)} f(x)dx = \dfrac{t}{1+t}$가 성립한다. 이 식의 양변을 t에 대하여

미분하면

$$\frac{1}{f(0)}h'(t)f(h)\Big)=\frac{1}{(1+t)^2}$$

이다. 이 식에 $t=1$을 대입하고 $h(1)=0$임을 이용하면 $h'(1)=\frac{1}{4}$이다.

(3-3) $x\in[-1,\ 1]$에서 정의되는 함수 $p(x)$를 $p(x)=\frac{1}{f(0)}\int_{-1}^{x}f(y)dy$로 정의하면

$$p(x)=\begin{cases}\dfrac{(1+x)^2}{2} & (-1\le x\le 0)\\[2mm] 1-\dfrac{(1-x)^2}{2} & (0<x\le 1)\end{cases}$$

이다. 따라서 $p(x)$는 구간 $[0,\ 1]$에서 역함수가 존재하며 그 역함수를 $p^{-1}(x)$라고 할 때

$$h(t)=p^{-1}\!\left(\frac{t}{1+t}\right)$$

이다. 한편

$$p^{-1}(x)=\begin{cases}-1+\sqrt{2x} & \left(0\le x\le \dfrac{1}{2}\right)\\[3mm] 1-\sqrt{2(1-x)} & \left(\dfrac{1}{2}<x\le 1\right)\end{cases}$$

이다. 따라서

$$h(t)=\begin{cases}-1+\sqrt{\dfrac{2t}{1+t}} & (0<t\le 1)\\[3mm] 1-\sqrt{\dfrac{2}{1+t}} & (t>1)\end{cases}$$

이다.

(다른 풀이) $f(0)=1$이므로 **(3-1)**의 결과를 이용하면 $\displaystyle\int_{-1}^{h(t)}f(x)dx=\frac{t}{1+t}f(0)=\frac{t}{1+t}$

이다. 한편

$$\int_{-1}^{a}f(x)dx=\begin{cases}\left[x+\dfrac{x^2}{2}\right]_{-1}^{a}=a+\dfrac{a^2}{2}+\dfrac{1}{2} & (-1\le a\le 0)\\[3mm] \dfrac{1}{2}+\left[x-\dfrac{x^2}{2}\right]_{0}^{a}=a-\dfrac{a^2}{2}+\dfrac{1}{2} & (0<a\le 1)\end{cases}$$

이므로 $h(t)$는 함수 $y=\begin{cases}x+\dfrac{x^2}{2}+\dfrac{1}{2} & (-1<x\le 0)\\[3mm] x-\dfrac{x^2}{2}+\dfrac{1}{2} & (0<x<1)\end{cases}$ 과 직선 $y=\dfrac{t}{1+t}$의 교점의 x좌표이

고, 이때의 상황을 그림으로 나타내면 다음과 같다.

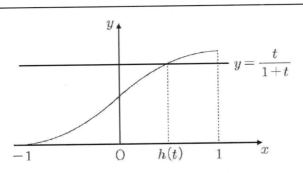

그러므로 t의 범위를 기준으로 다음과 같이 나누어 생각할 수 있다.

(i) $\dfrac{t}{1+t} \le \dfrac{1}{2}$, 즉 $t \le 1$인 경우:

$h(t)$는 방정식 $x + \dfrac{x^2}{2} + \dfrac{1}{2} = \dfrac{t}{1+t}$의 해 중에서 구간 $(-1,\ 1)$에 속하는 값이다. 방정식 $x^2 + 2x + \left(1 - \dfrac{2t}{1+t}\right) = 0$의 해를 구하면 $-1 \pm \sqrt{\dfrac{2t}{1+t}}$ 이므로 $h(t) = -1 + \sqrt{\dfrac{2t}{1+t}}$ 이다.

(ii) $\dfrac{t}{1+t} > \dfrac{1}{2}$, 즉 $t > 1$인 경우:

$h(t)$는 방정식 $x - \dfrac{x^2}{2} + \dfrac{1}{2} = \dfrac{t}{1+t}$의 해 중에서 구간 $(-1,\ 1)$에 속하는 값이다. 방정식 $x^2 - 2x - \left(1 - \dfrac{2t}{1+t}\right) = 0$의 해를 구하면 $1 \pm \sqrt{\dfrac{2}{1+t}}$ 이므로 $h(t) = 1 - \sqrt{\dfrac{2}{1+t}}$ 이다.

따라서 (i), (ii)의 결과를 종합하면 다음을 얻는다.

$$h(t) = \begin{cases} -1 + \sqrt{\dfrac{2t}{1+t}} & (0 < t \le 1) \\[2ex] 1 - \sqrt{\dfrac{2}{1+t}} & (t > 1) \end{cases}$$

4. 2023학년도 세종대 수시 논술 (A형)

[문제 1] 미분가능한 함수 $f(x)$와 $g(x) = (x^2 + 2)e^{2x} + e^{4x}$이 모든 실수 $x > 0$에 대하여 $(g \circ f)(x) = x$를 만족시킨다.

(1-1) 방정식 $g(x) = 3e^2 + e^4$의 해는 $x = 1$뿐임을 보이시오. 또한 방정식 $g(x) = 3$의 해는 $x = 0$뿐임을 보이시오. (70점)

(1-2) 극한 $\displaystyle \lim_{x \to 0+} x f'(x)$를 구하시오. (80점)

(1-3) $\displaystyle \int_3^{3e^2 + e^4} f(x)\,dx$를 구하시오. (80점)

[문제 2] 실수 전체의 집합에서 정의된 함수 $f(x)$에 대하여 $y=f(x)$라 할 때 $y+\ln(x+y)=x$가 성립한다.

(2-1) 곡선 $y=f(x)$위의 점 $\left(\dfrac{e+1}{2}, \dfrac{e-1}{2}\right)$에서의 접선의 기울기를 구하시오. (70점)

(2-2) 함수 $f(x)$의 최솟값을 구하시오. (80점)

(2-3) $f(0)=f(\alpha)=\beta$일 때, β를 α의 식으로 표현하고 $\alpha<2$임을 보이시오. (단, $\alpha\neq0$) (80점)

[문제 3] 최고차항의 계수가 1인 삼차함수 $f(x)$와 실수 t에 대하여 닫힌구간 $[t, t+1]$에서 $f(x)$의 최댓값을 $g(t)$로 정의할 때 함수 $g(t)$는 다음을 만족시킨다.

> (가) $g(t)$는 $t=3$에서 미분가능하지 <u>않다</u>.
> (나) 닫힌구간 $\left[0, \dfrac{1}{2}\right]$에 속하는 모든 t에 대하여 $g(t)=7$이다.

(3-1) $f(3)-f(4)$의 값을 구하시오. (80점)

(3-2) $f(x)$는 $x=\alpha$에서 극댓값을 갖는다. α의 최솟값과 최댓값을 각각 구하시오. (80점)

(3-3) $g(4)=7$일 때 $f(3)$을 구하시오. (80점)

> **(1-1)** 모든 실수 x에 대하여
> $$g'(x)=(2x^2+2x+4)e^{2x}+4e^{4x}>0$$
> 이다. 따라서 $g(x)$는 증가함수이므로 일대일함수이다. 그런데 $g(1)=3e^2+e^4$이므로 $x=1$이 방정식 $(x^2+2)e^{2x}+e^{4x}=3e^2+e^4$의 유일한 해이다. 또한 $g(0)=3$이므로 $x=0$이 방정식 $(x^2+2)e^{2x}+e^{4x}=3$의 유일한 해이다.
>
> **(1-2)**
> $$x=g(f(x))=\{f(x)^2+2\}e^{2f(x)}+e^{4f(x)}=\{f(x)^2+2+e^{2f(x)}\}e^{2f(x)}$$
> 에 대하여 $x\to0+$일 때 우변의 극한은 0이고, $f(x)^2+2+e^{2f(x)}>2$이므로 $\displaystyle\lim_{x\to0+}e^{2f(x)}=0$이다.
>
> 따라서 $f(x)=t$로 치환하면 $x\to0+$일 때 $t\to-\infty$이다.
> $$f'(x)=\frac{1}{\{2f(x)^2+2f(x)+4\}e^{2f(x)}+4e^{4f(x)}}$$
> 이므로
> $$xf'(x)=\frac{(f(x)^2+2)e^{2f(x)}+e^{4f(x)}}{\{2f(x)^2+2f(x)+4\}e^{2f(x)}+4e^{4f(x)}}=\frac{f(x)^2+2+e^{2f(x)}}{2f(x)^2+2f(x)+4+4e^{2f(x)}}$$
> 이고

$$\lim_{x \to 0+} xf'(x) = \lim_{x \to 0+} \frac{f(x)^2 + 2 + e^{2f(x)}}{2f(x)^2 + 2f(x) + 4 + 4e^{2f(x)}} = \lim_{t \to -\infty} \frac{t^2 + 2 + e^{2t}}{2t^2 + 2t + 4 + 4e^{2t}} = \frac{1}{2}$$

이다.

(1−3) $g(x)$는 증가함수이므로 일대일함수이다. **(1−1)**에 의하여 $f(3) = 0$이고 $f(3e^2 + e^4) = 1$이다. $f(x) = t$로 치환하면

$$dt = f'(x)dx = \frac{1}{\{2f(x)^2 + 2f(x) + 4\}e^{2f(x)} + 4e^{4f(x)}}dx = \frac{1}{(2t^2 + 2t + 4)e^{2t} + 4e^{4t}}dx$$

를 얻는다. 따라서 $dx = \{(2t^2 + 2t + 4)e^{2t} + 4e^{4t}\}dt$가 되고

$$\int_3^{3e^2 + e^4} f(x)dx = \int_0^1 t\{(2t^2 + 2t + 4)e^{2t} + 4e^{4t}\}dt = \frac{3}{4}e^4 + \frac{7}{4}e^2 + \frac{3}{2}$$

이다.

(별해1) 부분적분법에 의하여 다음과 같이 구할 수 있다.

$$\int_3^{3e^2 + e^4} f(x)dx = [xf(x)]_3^{3e^2 + e^4} - \int_3^{3e^2 + e^4} xf'(x)dx$$

$$= 3e^2 + e^4 - \int_3^{3e^2 + e^4} \{(f(x)^2 + 2)e^{2f(x)} + e^{4f(x)}\}f'(x)dx$$

$$= 3e^2 + e^4 - \int_0^1 \{(t^2 + 2)e^{2t} + e^{4t}\}dt$$

$$= \frac{3}{4}e^4 + \frac{7}{4}e^2 + \frac{3}{2}$$

(별해2) $f(x) = t$로 치환하면 $x = g(f(x)) = g(t)$로부터 $dx = g'(t)dt$이고,

$$\int_3^{3e^2 + e^4} f(x)dx = \int_0^1 tg'(t)dt$$

$$= [tg(t)]_0^1 - \int_0^1 g(t)dt$$

$$= 3e^2 + e^4 - \int_0^1 \{(t^2 + 2)e^{2t} + e^{4t}\}dt$$

$$= \frac{3}{4}e^4 + \frac{7}{4}e^2 + \frac{3}{2}$$

이다.

(2−1) 음함수 미분법에 의하여 $y' = \dfrac{x + y - 1}{x + y + 1}$이므로, $x = \dfrac{e + 1}{2}$, $y = \dfrac{e - 1}{2}$에서 접선의 기울기 $y' = \dfrac{e - 1}{e + 1}$이다.

(2−2) $y' = \dfrac{x + y - 1}{x + y + 1} = 0$이면 $x + y = 1$이고 식 $y + \ln(x + y) = x$로부터 $x = y$이다. 따라서 $x = \dfrac{1}{2}$에서만 $y' = 0$이다. $y'' = \dfrac{(1 + y')(x + y + 1) - (x + y - 1)(1 + y')}{(x + y + 1)^2}$이므로 $x = \dfrac{1}{2}$에서 $y'' = \dfrac{1}{2} > 0$이고 최솟값은 $f\left(\dfrac{1}{2}\right) = \dfrac{1}{2}$이다.

(별해 1) $y' = \dfrac{x+y-1}{x+y+1} = 0$이면 $x+y=1$이고 식 $y + \ln(x+y) = x$로부터 $x = y$이다.

따라서 $x = \dfrac{1}{2}$에서만 $y' = 0$이다. 또한 $x+y > 0$이므로 $y'' = \dfrac{4(x+y)}{(x+y+1)^3} > 0$이고, 최솟값은 $f\left(\dfrac{1}{2}\right) = \dfrac{1}{2}$이다.

(별해 2) $y' = \dfrac{x+y-1}{x+y+1} = 0$이면 $x+y=1$이고 식 $y + \ln(x+y) = x$로부터 $x = y$이다. 따라서 $x = \dfrac{1}{2}$에서만 $y' = 0$이다.

그리고 $y + \ln(x+y) = x$로부터 $x+y > 1$이면 $x > y$을 얻는다. 또한 $y' > 0$이면 $x+y > 1$이고, 이때 $x > y$이므로 $x > \dfrac{1}{2}$이다. 그리고 $y' < 0$이면 $x+y < 1$이고, 이때 $x < y$이므로 $x < \dfrac{1}{2}$이다. 따라서 $f(x)$의 최솟값은 $f\left(\dfrac{1}{2}\right) = \dfrac{1}{2}$이다.

(2-3) $f(0) = f(\alpha) = \beta$라 놓으면 $\beta + \ln\beta = 0$, $\beta + \ln(\alpha+\beta) = \alpha$이고 이로부터 $\alpha = -\ln\beta + \ln(\alpha+\beta) = \ln\left(1 + \dfrac{\alpha}{\beta}\right)$를 얻고, 이 식을 정리하면 $\beta = \dfrac{\alpha}{e^\alpha - 1}$이다. $f(x)$의 최솟값이 $\dfrac{1}{2}$이므로 $\dfrac{\alpha}{e^\alpha - 1} = \beta = f(0) > \dfrac{1}{2}$을 얻고 이 식을 정리하면 $2\alpha + 1 > e^\alpha$이다. $y = e^x$와 $y = 2x+1$의 그래프를 보면 $2x+1 > e^x$을 만족시키는 x의 범위는 $0 < x < x_0$이다. (여기서 x_0은 $2x_0 + 1 = e^{x_0}$을 만족시킨다.)

따라서 $2\alpha + 1 > e^\alpha$과 $2 \times 2 + 1 = 5 < e^2$으로부터 $\alpha < x_0 < 2$를 얻는다.

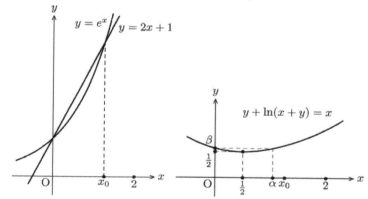

(3-1) 구간 $[a, a+1]$에서 증가하는 경우 $g(a) = f(a+1)$이고 감소하는 경우 $g(a) = f(a)$이다. 만일 최고차항의 계수가 1인 삼차함수 $f(x)$가 극댓값과 극솟값을 갖지 않는 경우에는 $f(x)$가 증가함수이므로 $g(t) = f(t+1)$이고 $g(t)$는 실수 전체의 집합에서 미분가능하다. 이 경우 조건 (가)를 만족시키지 못하게 되므로 $f(x)$는 극댓값과 극솟값을 가져야 한다.

만일 함수 $f(x)$가 $x=\alpha$에서 극댓값을 갖고 $f(\alpha+1) \geq f(\alpha)$이면 다음 그림에 의하여 주어진 조건을 만족시키지 않는다.

$f(\alpha+1) < f(\alpha)$인 경우 아래 그림의 예처럼 α보다 오른쪽에 있는 적당한 점 $t=\gamma$에서 $g(t)$가 미분 불가능하게 되며, 구간 $[\alpha-1, \alpha]$에서는 $g(t)$의 함숫값이 $f(\alpha)$로 일정하다.

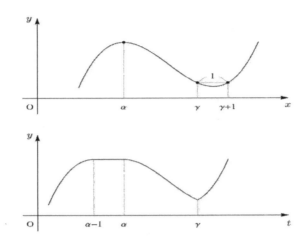

이 경우 $t=\alpha-1$에서의 좌미분계수와 우미분계수가 모두 0이므로 미분가능하다. 마찬가지로 $t=\alpha$에서도 좌미분계수와 우미분계수가 모두 0이므로 미분가능하다. 그러므로 조건 (나)를 만족시키면서, 동시에 조건 (가)를 만족시키려면, 즉 $g(t)$가 $t=3$에서 미분가능하지 않으려면 열린구간 $(3, 4)$에 속하는 적당한 점에서 $f(x)$가 극솟값을 갖고 $f(3)=f(4)$이어야 한다. 따라서 $f(3)-f(4)=0$이다.

(3−2) 조건 (나)에서 닫힌구간 $\left[0, \dfrac{1}{2}\right]$에 속하는 모든 t에 대하여 $g(t)=7$이므로, (3−1)에서와 같이 생각하면 $f(x)$는 $x=\alpha$에서 극댓값 7을 가져야 하고 $\alpha \leq 1$임을 알 수 있다. 그런데 $f(x)$가 극소가 되는 점은 $x=\alpha$에서 거리가 2이상 떨어져서 오른쪽에 있으므로 구간 $[\alpha-1, \alpha]$에 속하는 모든 t에 대하여 $g(t)=7$이다. (위의 그림 참조)

그러므로 $\left[0, \dfrac{1}{2}\right] \subset [\alpha-1, \alpha]$이어야 한다. 따라서 $\dfrac{1}{2} \leq \alpha \leq 1$임을 알 수 있고, α의 최솟값은 $\dfrac{1}{2}$, 최댓값은 1이다.

(3−3) (3−1)과 (3−2)의 결과를 이용하면 적당한 상수 α와 β에 대하여 다음과 같이 둘 수 있다.

$$f(x) = (x-\alpha)^2(x-\beta)+7 \left(\text{단, } \frac{1}{2} \leq \alpha \leq 1, \ \beta > 3\right)$$

그런데 삼차함수 $f(x)$의 개형을 생각하면 적어도 구간 $[4, \infty)$에서는 $f(x)$가 증가해야 하므로 $g(4)=f(5)$이다. 주어진 조건식 $g(4)=7$을 이용하면

136

$$7 = g(4) = f(5) = (5-\alpha)^2(5-\beta) + 7 \left(\frac{1}{2} \le \alpha \le 1, \ \beta > 3 \right)$$

에서 $\beta = 5$이다. 그러므로 $f(x) = (x-\alpha)^2(x-5) + 7$이다. $f(3) = f(4)$임을 다시 이용하면

$$-2(3-\alpha)^2 + 7 = -(4-\alpha)^2 + 7$$

에서 $\alpha = 2 \pm \sqrt{2}$인데 $\frac{1}{2} \le \alpha \le 1$이므로 $\alpha = 2 - \sqrt{2}$이다. 따라서

$$f(x) = (x-2+\sqrt{2})^2(x-5) + 7$$

이고 $f(3) = 1 - 4\sqrt{2}$이다.

참고 : (3−3)에서의 $y = f(x)$**와** $y = g(t)$**의 그래프는 각각 다음과 같다.**

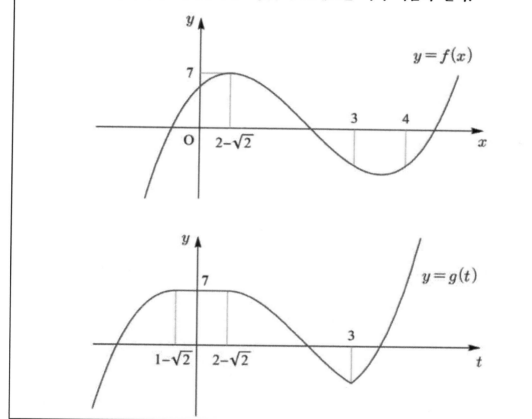

5. 2023학년도 세종대 수시 논술 (B형)

[문제 1] 실수 전체의 집합에서 정의된 함수 $f(x)$는 다음을 만족시킨다.

(가) $0 \le x \le 2$일 때 $f(x) = x^3 - 3x^2 + 4$이다.
(나) 임의의 실수 x에 대하여 $f(-x) = f(x)$이다.
(다) 임의의 실수 x에 대하여 $f(x) = f(x+4)$이다.

열린구간 $(2, \ 4)$에서 정의된 함수 $h(x)$는 열린구간 $(2, \ 4)$에 속하는 모든 x에 대하여 $h(x) = f(x)$이다. $h(x)$의 역함수를 $h^{-1}(x)$라 하자.

(1-1) $h^{-1}(2)$를 구하시오. (70점)

(1-2) $(h^{-1})'(2)$를 구하시오. (80점)

(1-3) 실수 $t > 0$에 대하여 두 점 $(0,\ f(0))$과 $(t,\ f(t))$를 지나는 직선의 기울기를 $g(t)$라 하자. $(h^{-1})'(x) = |g(t)|$를 만족시키는 실수 x가 존재하도록 하는 t의 최댓값을 t_0이라 할 때, $n < t_0 < n+1$을 만족시키는 자연수 n을 구하시오. (80점)

[문제 2] $e^{-\frac{\pi}{2}} < x < e^{\frac{\pi}{2}}$에 대하여 $f(x) = \displaystyle\int_e^x \tan(\ln t)dt$라 하자.

(2-1) $f(x)$가 최소가 되는 x의 값을 구하시오. (70점)

(2-2) $f(1) = a$라 할 때, $\displaystyle\int_0^1 e^x \tan^2 x\, dx$를 a의 식으로 나타내시오. (80점)

(2-3) $\displaystyle\int_{\frac{1}{e}}^e \frac{f'(x)}{x^2}dx - f\left(\frac{1}{e}\right)$을 구하시오. (80점)

[문제 3] 그림과 같이 가로의 길이가 $a > 1$이고 세로의 길이가 1인 직사각형이 있다. 꼭짓점 A에서 출발하여 직사각형의 네 변을 따라서 시계 방향으로 이동한 거리가 s인 위치의 점 $P(s)$와 점 A사이의 거리를 $f(s)$라 하자. (단, $0 \le s \le 2a+2$)

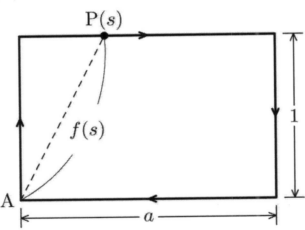

또한 곡선 $y = f(s)$위의 점 $(t,\ f(t))$에서의 접선을 ℓ_t라 하자. (단, $1 < t < a+1$또는 $a+1 < t < a+2$)

(3-1) $0 \le s \le 2a+2$에서 $f(s)$를 구하시오. 또한 곡선 $y = f(s)$위의 점 $(2,\ f(2))$에서의 접선 ℓ_2의 방정식을 구하시오. (80점)

(3-2) $1 < a < a+1$일 때 ℓ_a와 곡선 $y = f(s)$의 교점의 개수를 a의 값의 범위에 따라 구하시오. 또한 $a+1 < \beta < a+2$일 때 ℓ_β와 곡선 $y = f(s)$의 교점의 개수를 구하시오. (80점)

(3−3) $1 < \alpha < a+1$이고 $a+1 < \beta < a+2$인 α, β에 대하여 두 직선 ℓ_α와 ℓ_β가 이루는 예각을 $\theta(\alpha, \beta)$라 하자. 실수 $a > 1$에 대하여 집합 I_a는 다음과 같이 주어진다.

$$I_a = \{\theta(\alpha, \beta) | 1 < \alpha < a+1, \ a+1 < \beta < a+2\}$$

I_a는 열린구간 $(L(a), R(a))$이다. 이 때 $\displaystyle\lim_{a \to \infty} L(a)$와 $\displaystyle\lim_{a \to \infty} R(a)$를 각각 구하시오. (80점)

(1−1) $0 \le x \le 2$일 때 $f(x) = x^3 - 3x^2 + 4$이므로 $x^3 - 3x^2 + 4 = 2$를 풀면

$(x-1)(x^2 - 2x - 2) = 0$에서 $x = 1$또는 $x = 1 \pm \sqrt{3}$인데 이 중에서 $0 \le x \le 2$인 것은 $x = 1$뿐이다.

따라서 $h^{-1}(2) = h^{-1}(f(1)) = h^{-1}(f(-1)) = h^{-1}(f(-1+4)) = h^{-1}(f(3)) = h^{-1}(h(3)) = 3$이다.

(1−2) $0 < x < 2$일 때 $f'(x) = 3x^2 - 6x$임을 이용하면 그래프의 개형으로부터

$$(h^{-1})'(2) = \frac{1}{h'(h^{-1}(2))} = \frac{1}{f'(3)} = \frac{-1}{f'(1)} = \frac{1}{3}$$

을 얻는다.

(별해) $2 < x < 4$인 x에 대하여, $0 < 4 - x < 2$이고,

$$h(x) = f(x) = f(x-4) = f(-(x-4)) = f(4-x)$$

가 된다. 따라서

$$(h^{-1})'(2) = \frac{1}{h'(h^{-1}(2))} = \frac{1}{h'(3)} = \frac{-1}{f'(4-3)} = \frac{-1}{f'(1)} = \frac{1}{3}$$

이다.

(1−3) $0 < x < 2$일 때 $f'(x) = 3x^2 - 6x$이므로 $-3 \le f'(x) < 0$이다.

따라서 그래프의 개형을 생각하면 $(h^{-1})'(x) \ge \dfrac{1}{3}$이다. (단, $0 < x < 4$) 그리고 $t > 0$에 대하여 $g(t) \le 0$이다.

따라서 $t > 0$이면서 $|g(t)| \ge \dfrac{1}{3}$, 즉 $g(t) \le -\dfrac{1}{3}$인 경우를 생각해야 한다.

그러므로 다음 그림과 같이 $(0, f(0))$을 지나고 기울기가 $-\dfrac{1}{3}$인 직선과 곡선 $y = f(x)$가 만나는 점의 x좌표의 최댓값이 t_1라 하면 $t_1 > 10$이다. $g(11) = -\dfrac{2}{11} > -\dfrac{1}{3}$이므로 $t_1 < 11$이다. $t \ge 11$일 때 그림으로부터 $g(t) > -\dfrac{1}{3}$이다. **따라서** $t_0 = t_1$이고, 문제의 조건을 만족시키는 자연수 n은 10이다.

(2−1) $f'(x) = \tan(\ln x)$이므로 $f'(1) = 0$이다. $e^{-\frac{\pi}{2}} < x < 1$이면 $-\frac{\pi}{2} < \ln x < 0$이고

$f'(x) = \tan(\ln x) < 0$이다. $1 < x < e^{\frac{\pi}{2}}$이면 $0 < \ln x < \frac{\pi}{2}$이고 $f'(x) = \tan(\ln x) > 0$이다.

따라서 $x = 1$**에서** $f(x)$**는 최소이다.**

(별해) $f'(x) = \tan(\ln x)$**이므로** $f'(1) = 0$**이다.**

$f''(x) = \dfrac{\sec^2(\ln x)}{x} > 0$**이므로** $x = 1$**에서** $f(x)$**는 최소이다.**

(2−2) $f(1) = \displaystyle\int_e^1 \tan(\ln x)\,dx = \left[x\tan(\ln x)\right]_e^1 - \int_e^1 \sec^2(\ln x)\,dx$**이므로**

$\displaystyle\int_e^1 \sec^2(\ln x)\,dx = \left[x\tan(\ln x)\right]_e^1 - f(1) = -e\tan 1 - f(1)$**이다.**

$x = e^t$**로 치환하면**

$$\int_e^1 \sec^2(\ln x)\,dx = -\int_0^1 e^t\sec^2 t\,dt = -\int_0^1 e^t\tan^2 t\,dt - \int_0^1 e^t\,dt = -e\tan 1 - f(1)$$

이고,

$$\int_0^1 e^x\tan^2 x\,dx = e\tan 1 + a - e + 1$$

이다.

(별해) $t = e^x$**로 치환하면**

$$a = f(1) = \int_e^1 \tan(\ln t)\,dt = -\int_0^1 e^x\tan x\,dx$$

이다. 따라서

$$a = -\int_0^1 e^x\tan x\,dx = \left[-e^x\tan x\right]_0^1 + \int_0^1 e^x\sec^2 x\,dx = -e\tan 1 + \int_0^1 e^x(1 + \tan^2 x)\,dx$$

$$= -e\tan 1 + \left[e^x\right]_0^1 + \int_0^1 e^x\tan^2 x\,dx$$

이므로

$$e^x\tan^2 x\,dx = e\tan 1 + a - e + 1$$

이다.

140

(2−3) $I = \displaystyle\int_{\frac{1}{e}}^{e} \frac{f'(x)}{x^2}dx - f\left(\frac{1}{e}\right)$ 이라 두면,

$$I = \int_{\frac{1}{e}}^{e} \frac{f'(x)}{x^2}dx - f\left(\frac{1}{e}\right) = -\int_{e}^{\frac{1}{e}} \frac{\tan(\ln x)}{x^2}dx - \int_{e}^{\frac{1}{e}} \tan(\ln x)dx = \int_{\frac{1}{e}}^{e}\left(1 + \frac{1}{x^2}\right)\tan(\ln x)dx$$

이다.

$x = \dfrac{1}{y}$ 로 치환하면

$$I = \int_{\frac{1}{e}}^{e}\left(1 + \frac{1}{x^2}\right)\tan(\ln x)dx = -\int_{\frac{1}{e}}^{e}\left(1 + \frac{1}{y^2}\right)\tan(\ln y)dy = -I$$

이므로 $I = 0$이다.

(별해) $I = \displaystyle\int_{\frac{1}{e}}^{e} \frac{f'(x)}{x^2}dx - f\left(\frac{1}{e}\right)$ 이라 두면,

$$I = \int_{\frac{1}{e}}^{e} \frac{f'(x)}{x^2}dx - f\left(\frac{1}{e}\right) = -\int_{e}^{\frac{1}{e}} \frac{\tan(\ln x)}{x^2}dx - \int_{e}^{\frac{1}{e}} \tan(\ln x)dx = \int_{\frac{1}{e}}^{e}\left(1 + \frac{1}{x^2}\right)\tan(\ln x)dx$$

이다.

$\theta = \ln x$ 로 치환하면

$d\theta = \dfrac{1}{x}dx$ 에서 $dx = xd\theta = e^{\theta}d\theta$ 이고

$$I = \int_{\frac{1}{e}}^{e}\left(1 + \frac{1}{x^2}\right)\tan(\ln x)dx = \int_{-1}^{1}(e^{\theta} + e^{-\theta})\tan\theta d\theta$$

이다. $y = -\theta$ 로 치환하면

$$I = \int_{-1}^{1}(e^{\theta} + e^{-\theta})\tan\theta d\theta = -\int_{-1}^{1}(e^{y} + e^{-y})\tan y\, dy = -I$$

이므로 $I = 0$이다.

(3−1) 좌표평면에서 점 A의 좌표를 $(0, 0)$이라 두면, 점 $P(s)$의 좌표는 다음과 같다.

$$P(s) = \begin{cases} (0,\ s) & 0 \le s \le 1 \\ (s-1,\ 1) & 1 \le s \le a+1 \\ (a,\ a+2-s) & a+1 \le s \le a+2 \\ (2a+2-s,\ 0) & a+2 \le s \le 2a+2 \end{cases}$$

따라서 $f(s)$는 다음과 같이 구하여진다.

$$f(s) = \begin{cases} s & 0 \le s \le 1 \\ \sqrt{(s-1)^2 + 1} & 1 \le s \le a+1 \\ \sqrt{(s-a-2)^2 + a^2} & a+1 \le s \le a+2 \\ 2a+2-s & a+2 \le s \le 2a+2 \end{cases}$$

$1 < s < a+1$에서 $f(s) = \sqrt{s^2 - 2s + 2}$로부터 $f'(s) = \dfrac{s-1}{\sqrt{s^2-2s+2}}$을 얻어, $f(2) = \sqrt{2}$이

고, $f'(2) = \dfrac{\sqrt{2}}{2}$이므로, 구하는 접선의 방정식은 $y = \dfrac{\sqrt{2}}{2}(s-2) + \sqrt{2}$, 즉 $y = \dfrac{\sqrt{2}}{2}s$이다.

(3-2) $1 < s < a+1$에서

$$f'(s) = \frac{s-1}{\sqrt{s^2-2s+2}} > 0, \quad f''(s) = \frac{1}{(s^2-2s+2)^{3/2}} > 0$$

이므로 $y = f(x)$는 아래로 볼록인 함수이며 증가한다.

또한 $a+1 < s < a+2$에서

$$f'(s) = \frac{s-a-2}{\sqrt{s^2 - 2(a+2)s + 2a^2 + 4a + 4}} < 0,$$

$$f''(s) = \frac{a^2}{\left(s^2 - 2(a+2)s + 2a^2 + 4a + 4\right)^{3/2}} > 0$$

이므로 $y = f(x)$는 아래로 볼록인 함수이며 감소한다. 따라서 $0 \le s \le 2a+2$에서 $y = f(s)$
의 그래프의 개형은 다음과 같다.

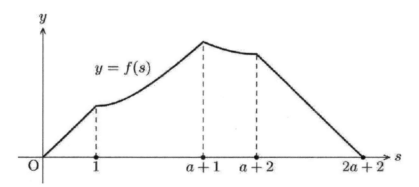

$1 < \alpha < a+1$일 때,

$$\frac{\sqrt{\alpha^2 - 2\alpha + 2}}{\alpha} = \frac{f(\alpha) - 0}{\alpha - 0} = f'(\alpha) = \frac{\alpha - 1}{\sqrt{\alpha^2 - 2\alpha + 2}}$$ 을 이용하여 ℓ_a가 $(0, \, 0)$을 지나는 α를

구하면 $\alpha = 2$이다. 그런데 $1 < s < a+1$에서 $y = f(s)$는 아래로 볼록한 증가함수이므로
$1 < \alpha \le 2$일 때 ℓ_a의 s절편은 0보다 작거나 같고 ℓ_a와 $y = f(s)$의 접점을 포함한 교점의
개수는 3이다. $2 < \alpha < a+1$일 때는 ℓ_a의 s절편이 0보다 크고 $a+1$보다 작으므로 ℓ_a와
$y = f(s)$의 접점을 포함한 교점의 개수는 2이다.
$2 < a+1 < \beta < a+2$일 때,

$$-\frac{\sqrt{\beta^2 - 2(a+2)\beta + 2a^2 + 4a + 4}}{(2a+2) - \beta} = \frac{0 - f(\beta)}{(2a+2) - \beta} = f'(\beta) = \frac{\beta - a - 2}{\sqrt{\beta^2 - 2(a+2)\beta + 2a^2 + 4a + 4}}$$

를 이용하여 ℓ_β가 $(2a+2,\ 0)$을 지나는 β를 구하면 $\beta=2$이고 $\beta>2$인 것에 모순이다.
$a+1<s<a+2$에서 $y=f(s)$가 아래로 볼록한 감소함수이므로, 위 모순은 ℓ_β의 s절편이 $2a+2$보다 작거나 같을 수 없음을 의미한다. 그러므로 $a+1<\beta<a+2$에서 ℓ_β의 s절편은 $2a+2$보다 크고, ℓ_β와 $y=f(s)$의 접점을 포함한 교점의 개수는 3이다.

(별해) $a+1<\beta<a+2$일 때, ℓ_β의 s절편이 $2a+2$보다 큰 것은 다음과 같이 보일 수도 있다 : ℓ_β의 방정식은 $y-f(\beta)=f'(\beta)(s-\beta)$로 주어지고, s절편은 $\beta-\dfrac{f(\beta)}{f'(\beta)}$이다. 따라서 $a+1<\beta<a+2$인 경우는 접선의 s절편이 $\beta-\dfrac{f(\beta)}{f'(\beta)}=(2a+2)-\dfrac{a(\beta-2)}{\beta-a-2}$로 주어지는데, $2<a+1<\beta<a+2$이므로 $(2a+2)-\dfrac{a(\beta-2)}{\beta-a-2}>2a+2$이다.

(3-3) $1<\alpha<a+1$에서의 접선 ℓ_α가 s축의 양의 방향과 이루는 각을 θ_α라 하면 $\tan\theta_\alpha=f'(\alpha)=\dfrac{\alpha-1}{\sqrt{\alpha^2-2\alpha+2}}$이다. 또 $a+1<\beta<a+2$에서의 접선 ℓ_β가 s축의 양의 방향과 이루는 각을 θ_β라 하면

$$\tan\theta_\beta=f'(\beta)=\frac{\beta-a-2}{\sqrt{\beta^2-2(a+2)\beta+2a^2+4a+4}}$$

이다.

$1<\alpha<a+1$에서 $0<\dfrac{\alpha-1}{\sqrt{\alpha^2-2\alpha+2}}<1$이고

$a+1<\beta<a+2$에서 $-1<\dfrac{\beta-a-2}{\sqrt{\beta^2-2(a+2)\beta+2a^2+4a+4}}<0$이므로 $0<\theta_\alpha<\dfrac{\pi}{4}$이고 $\dfrac{3\pi}{4}<\theta_\beta<\pi$이다.

따라서 ℓ_α와 ℓ_β가 이루는 예각 $\theta(\alpha,\ \beta)$는 $\theta(\alpha,\ \beta)=\pi-\theta_\beta+\theta_\alpha$이다.

이제, $\displaystyle\lim_{\alpha\to1+}\frac{\alpha-1}{\sqrt{\alpha^2-2\alpha+2}}=0$이고, $\displaystyle\lim_{\beta\to(a+2)-}\frac{\beta-a-2}{\sqrt{\beta^2-2(a+2)\beta+2a^2+4a+4}}=0$이므로 a값에 상관없이 $L(a)=\pi-\pi+0=0$이다.

또한

$$\lim_{\alpha\to(a+1)-}\frac{\alpha-1}{\sqrt{\alpha^2-2\alpha+2}}=\frac{a}{\sqrt{a^2+1}},\quad \lim_{\beta\to(a+1)+}\frac{\beta-a-2}{\sqrt{\beta^2-2(a+2)\beta+2a^2+4a+4}}=\frac{-1}{\sqrt{a^2+1}}$$

이고,

$\displaystyle\lim_{a\to\infty}\frac{a}{\sqrt{a^2+1}}=1,\ \lim_{a\to\infty}\frac{-1}{\sqrt{a^2+1}}=0$이므로 $\displaystyle\lim_{a\to\infty}R(a)=\pi-\pi+\dfrac{\pi}{4}=\dfrac{\pi}{4}$이다.

6. 2023학년도 세종대 모의 논술

[문제 1] 높이가 y일 때 수평 단면이 반지름의 길이가 $\sqrt{20y-y^2}$ cm(단, $0 \le y \le 10$)인 원으로 주어지는 반구 모양의 용기가 있다. 이 용기에 물이 채워지고 있고, 시각 t에서 용기에 담겨있는 물의 부피를 $V(t)$cm^{3}라 할 때 $V(0)=0$이고 $\dfrac{dV}{dt}=81\pi$cm^3/초이다. 시각 t에서 물의 높이 y가 $h(t)$cm라 할 때, 다음 물음에 답하시오. (단, t의 단위는 초이다.)

(1-1) (70점) $h(t)=9$일 때, t의 값을 구하시오.

(1-2) (80점) $h(t)=9$일 때, $h'(t)$의 값을 구하시오.

(1-3) (80점) $h(t)=9$일 때, $\dfrac{d^2y}{dt^2}$과 $\dfrac{d^2t}{dy^2}$을 구하시오.

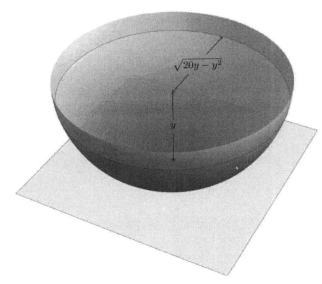

[문제 2] 좌표평면에 다음과 같이 매개변수 t로 주어지는 곡선 C가 있다.
$$C: x=6t^2+1, \quad y=t^3-12t \quad (t \ge 0)$$
곡선 C위의 점 P와 점 $(1, 0)$사이의 곡선 C의 길이는 13이다.

(2-1) (70점) 곡선 C위의 점 중에서 y좌표가 최소인 점을 Q라 할 때, Q의 좌표를 구하시오.

(2-2) (80점) 점 P에서 곡선 C에 접하는 직선을 L_1이라 할 때, L_1의 방정식을 구하시오.

(2-3) (80점) 직선 L_1과 x축의 교점을 A라 하고, 점 Q를 지나는 직선 L_2에 대하여 L_1과 L_2의 교점을 B, L_2와 x축의 교점을 D라 하자. 선분 AB의 길이와 선분 AD의 길이가 같을 때 점 D의 좌표를 구하시오.

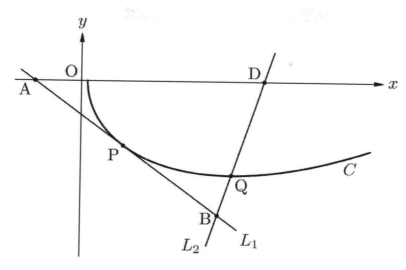

[문제 3] 이차함수 $f(x)$에 대하여 함수 $g(x)$를 $g(x) = f(f(x))$로 정의할 때, 함수 $f(x)$, $g(x)$및 실수 k가 다음 조건을 만족시킨다.

(가) $f(k) = f'(k) = 0$(단, $k < 0$)

(나) 함수 $g(x)$는 극값을 하나만 갖는다.

(다) $g(-1) \leq g(0)$

(3-1) (80점) 곡선 $y = f(x)$가 위로 볼록한지, 아니면 아래로 볼록한지 조사하시오.

(3-2) (80점) $g''(x) > 0$인 x의 범위를 구하시오. 또한 k의 최댓값을 구하시오.

(3-3) (80점) 함수 $h(x)$를 $h(x) = g(g(-x))$로 정의할 때 다음 식이 성립하도록 하는 실수 p의 최솟값을 구하시오. (단, $p > 0$)

$$\int_0^p h(x)dx = \int_p^{2p} h(x)dx$$

(1-1) 시각 t에서 물의 부피 $V(t)$에 대하여

$$81\pi t = V(0) + \int_0^t V'(s)ds = V(t) = \pi \int_0^{h(t)} (20y - y^2)dy$$

이므로 $h(t) = 9$**일 때,**

$$81\pi t = \pi \int_0^{h(t)} (20y - y^2)dy = \pi \left\{ 10h^2(t) - \frac{h^3(t)}{3} \right\} = \pi \left(10 \times 9^2 - \frac{9^3}{3} \right) = 567\pi$$

이다. 따라서 $t = 7$**이다.**

(1-2) $81\pi t = \pi \int_0^{h(t)} (20x - x^2)dx$**의 양변을 미분하면** $81\pi = \pi h'(t) \{ 20h(t) - h(t)^2 \}$**이므로**

$h(t) = 9$**일 때** $h'(t) = \dfrac{81}{20h(t) - h(t)^2} = \dfrac{81}{20 \times 9 - 9^2} = \dfrac{9}{11}$**이다.**

(1-3)

$y = h(t)$이므로 **(1-2)**의 계산으로부터 $\dfrac{dy}{dt} = \dfrac{81}{20y - y^2}$이다. 따라서

$$\frac{d^2y}{dt^2} = \frac{d}{dt}\left(\frac{dy}{dt}\right) = \frac{d}{dt}\left(\frac{81}{20y - y^2}\right) = \frac{d}{dy}\left(\frac{81}{20y - y^2}\right) \times \frac{dy}{dt} = -\frac{81(20 - 2y)}{(20y - y^2)^2} \times \frac{dy}{dt}$$

를 얻는다. $y = 9$, $\dfrac{dy}{dt} = \dfrac{9}{11}$를 대입하면, $\dfrac{d^2y}{dt^2} = -\dfrac{18}{11^3} = -\dfrac{18}{1331}$이다.

또한 역함수 미분법을 이용하면 $\dfrac{dt}{dy} = \dfrac{20y - y^2}{81}$이고

$$\frac{d^2t}{dy^2} = \frac{d}{dy}\left(\frac{dt}{dy}\right) = \frac{d}{dy}\left(\frac{20y - y^2}{81}\right) = \frac{20 - 2y}{81}$$이므로, $y = 9$를 대입하면 $\dfrac{d^2t}{dy^2} = \dfrac{2}{81}$이다.

(2-1) $\dfrac{dy}{dx} = \dfrac{\frac{dy}{dt}}{\frac{dx}{dt}} = \dfrac{t^2 - 4}{4t}$로부터 $0 < t < 2$이면 $\dfrac{dy}{dx} < 0$, $t > 2$이면 $\dfrac{dy}{dx} > 0$이다. $t = 0$

일 때 $y = 0$이고 $t = 2$일 때 $y = -16$이므로 y의 최솟값은 $t = 2$일 때이다. 따라서 점 Q의 좌표는 $(25, \ -16)$이다.

(2-2) $t = 0$에서 $t = a$까지의 곡선의 길이는

$$\int_0^a \sqrt{\left(\frac{dx}{dt}\right)^2 + \left(\frac{dy}{dt}\right)^2}\, dt = \int_0^a \sqrt{(12t)^2 + (3t^2 - 12)^2}\, dt = a^3 + 12a$$

이다.

$a^3 + 12a = 13$으로부터 $a = 1$이다. 따라서 점 P의 좌표는 $(7, \ -11)$이다.

$\left.\dfrac{dy}{dx}\right|_{t=1} = \left.\dfrac{dy/dt}{dx/dt}\right|_{t=1} = \left.\dfrac{t^2 - 4}{4t}\right|_{t=1} = -\dfrac{3}{4}$이므로, 직선 L_1의 방정식은 $3x + 4y + 23 = 0$

이다.

(2-3) 점 A의 좌표는 $3x + 4 \times 0 + 23 = 0$으로부터 $\left(-\dfrac{23}{3}, \ 0\right)$이다.

삼각형 ABD는 $\overline{AB} = \overline{AD}$인 이등변삼각형이다. 점 A에서 직선 L_2에 내린 수선의 발을 H라 하자. 직선 AH에 있는 임의의 점 $(x, \ y)$는 직선 L_1과 x축으로부터 거리가 동일하므로, $\dfrac{|3x + 4y + 23|}{\sqrt{3^2 + 4^2}} = |y|$이 성립한다. 이로부터 $3x - y + 23 = 0$ 또는 $3x + 9y + 23 = 0$가 나온다. 점 H는 제4사분면에 있으므로 직선 AH는 기울기가 음수이다. 따라서 직선 AH의 방정식은 $3x + 9y + 23 = 0$이다. 직선 L_2는 AH에 수직이고 점 Q$(25, \ -16)$을 지나므로, 직선 L_2의 방정식은 $3x - y - 91 = 0$이다. 따라서 점 D의 좌표는 $\left(\dfrac{91}{3}, \ 0\right)$이다.

(별해)

$\angle \text{BAD} = \theta$**(단,** $\theta < 0$**)라 하면** $\angle \text{HAD} = \dfrac{\theta}{2}$**이고,** $-\dfrac{3}{4} = \tan\theta = \dfrac{2\tan\dfrac{\theta}{2}}{1 - \tan^2\dfrac{\theta}{2}}$**임을 이용하면**

$\tan\dfrac{\theta}{2} = -\dfrac{1}{3}$**이므로 직선 AH의 기울기는** $-\dfrac{1}{3}$**이다. 직선** L_2**는 AH에 수직이고 점** Q(25, -16)**을 지나므로, 직선** L_2**의 방정식은** $3x - y - 91 = 0$**이다. 따라서 점 D의 좌표는** $\left(\dfrac{91}{3},\ 0\right)$**이다.**

(3−1) 조건 (가)로부터 $f(x) = a(x-k)^2$ **(단,** $a \neq 0$, $k < 0$**)이라 둘 수 있고,**
$$g(x) = f(f(x)) = a\big(a(x-k)^2 - k\big)^2 = a\big(ax^2 - 2akx + ak^2 - k\big)^2$$
이므로
$$g'(x) = 4a^2\big(ax^2 - 2akx + ak^2 - k\big)(x-k)$$
이다. 그런데 $g'(x)$**의 인수 중에서 이차식** $ax^2 - 2akx + ak^2 - k$**의 판별식을** D**라 하면**
$$\frac{D}{4} = a^2k^2 - a(ak^2 - k) = ak$$
이다. 그러므로 $a < 0$**일 때는** $\dfrac{D}{4} > 0$**이고 방정식** $g'(x) = 0$**은 서로 다른 세 실근**

$x = k,\ k \pm \sqrt{\dfrac{k}{a}}$ **를 갖게 되므로 함수** $g(x)$**는 세 군데에서 극값을 가지게 되어 조건 (나)를 만족시키지 않는다.** $a > 0$**일 때는** $\dfrac{D}{4} < 0$**이고 방정식** $g'(x) = 0$**의 실근은** $x = k$**뿐이며** $x < k$**일 때** $g'(x) < 0$, $x > k$**일 때** $g'(x) > 0$**임을 알 수 있다. 따라서** $g(x)$**는** $x = k$**에서 극솟값을 가지며, 이는** $g(x)$**의 유일한 극값이다. 따라서** $a > 0$**일 때 조건 (나)를 만족시키며, 포물선** $y = f(x)$**는 아래로 볼록하다.**

(3−2) $g''(x) = 4a^2(3ax^2 - 6akx + 3ak^2 - k)$**인데**

$a > 0$**이고** $k < 0$**이므로** $3ax^2 - 6akx + 3ak^2 - k$**의 판별식을** D**라 하면** $\dfrac{D}{4} = 3ak < 0$**이다.**

따라서 모든 실수 x**에 대하여**

$3ax^2 - 6akx + 3ak^2 - k > 0$**이고** $g''(x) = 4a^2(3ax^2 - 6akx + 3ak^2 - k) > 0$**이다.**

그러므로 $g''(x) > 0$**인** x**의 범위는 실수 전체의 집합이다. 따라서 모든 실수** x**에 대하여 곡선** $y = g(x)$**는 아래로 볼록하다. 또한** $g(k) = ak^2 > 0$**이다. 그런데** $f(x) = a(x-k)^2$**이 직선** $x = k$**를 중심으로 대칭이므로** $g(x) = f(f(x))$**역시** $x = k$**를 중심으로 대칭이다. 따라서 (3−1)의 계산 결과를 함께 이용하여 좌표평면에 곡선** $y = g(x)$**의 개형을 그리면 다음과 같다.**

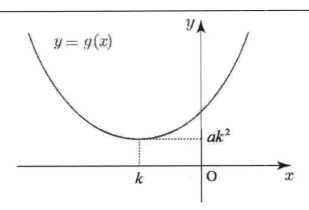

$y = g(x)$가 직선 $x = k$를 중심으로 대칭이고 $x < k$일 때 $g(x)$가 감소하며 $x > k$일 때 $g(x)$가 증가하므로, 조건 (다)의 식 $g(-1) \leq g(0)$을 만족시키기 위해서는 $|k-(-1)| \leq |k-0|$이어야 한다.

그런데 $k < 0$이므로 이를 다시 쓰면 $|k+1| \leq -k$, 즉 $k \leq k+1 \leq -k$이므로 $k \leq -\dfrac{1}{2}$을 얻어 k의 최댓값은 $-\dfrac{1}{2}$이다. (다음 그림 참조)

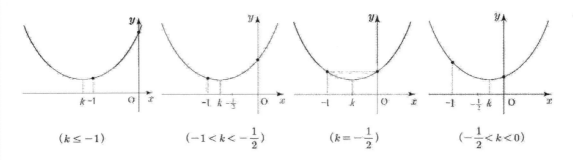

(별해) $g(-1) = a\left(a(1+k)^2 - k\right)^2 = a\left(a+2ak+ak^2-k\right)^2$이고 $g(0) = a\left(ak^2 - k\right)^2$인데 $a > 0$, $ak^2 - k > 0$, $a+2ak+ak^2-k = a(1+k)^2 - k \geq -k > 0$이므로 $y = ax^2$이 $x > 0$에서 증가하는 함수임에 유의하면 $g(-1) \leq g(0)$이기 위해서는

$$a + 2ak + ak^2 - k \leq ak^2 - k$$

이어야 한다. 따라서 $a + 2ak = a(1+2k) \leq 0$이고 $k \leq -\dfrac{1}{2}$이다. 나머지 부분의 풀이는 위와 같다.

(3-3) 모든 실수 x에 대하여 $g(x) > 0$이므로 다음을 얻는다.

$$h(-k) = g(g(k)) > 0$$

그런데 함수 $g(x)$의 그래프는 직선 $x = k$를 중심으로 대칭이므로, 임의의 실수 c에 대하여 다음이 성립한다.

$$h(-k+c) = g(g(k-c)) = g(g(k+c)) = g(g(-(-k-c))) = h(-k-c)$$

그러므로 함수 $h(x)$의 그래프는 직선 $x=-k$를 중심으로 대칭이다.

또한 $h'(x)=-g'(g(-x))g'(-x)$인데 항상 $g(-x)>0$이므로 $-g'(g(-x))<0$이다. 따라서 다음을 얻는다.

(i) $x<-k$일 때: $-x>k$이므로 $g'(-x)>0$이고 $h'(x)=-g'(g(-x))g'(-x)<0$이다.

(ii) $x=-k$일 때: $-x=k$이므로 $g'(-x)=0$이고 $h'(x)=-g'(g(-x))g'(-x)=0$이다.

(iii) $x>-k$일 때: $-x<k$이므로 $g'(-x)<0$이고 $h'(x)=-g'(g(-x))g'(-x)>0$이다.

이와 같은 결과를 이용하여 곡선 $y=h(x)$의 개형을 그리면 다음과 같다.

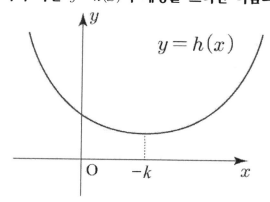

따라서 다음을 얻는다.

(i) $p=-k$일 때: 함수 $h(x)$의 그래프는 직선 $x=-k$를 중심으로 대칭이므로 다음이 성립한다.

$$\int_0^p h(x)dx=\int_0^{-k}h(x)dx=\int_{-k}^{-2k}h(x)dx=\int_p^{2p}h(x)dx$$

(ii) $0<p<-k$일 때: 그래프의 대칭성과 $h(x)$의 증감을 생각하면 다음이 성립한다.

$$\int_0^p h(x)dx>\int_p^{2p}h(x)dx$$

(iii) $p>-k$일 때: 마찬가지로 그래프의 대칭성과 $h(x)$의 증감을 생각하면 다음이 성립한다.

$$\int_0^p h(x)dx<\int_p^{2p}h(x)dx$$

그러므로 $\int_0^p h(x)dx=\int_p^{2p}h(x)dx$를 만족시키는 p는 $-k$뿐이다. 그런데 $k\leq-\dfrac{1}{2}$이므로 $-k\geq\dfrac{1}{2}$이고, 문제의 조건을 만족시키는 실수 p의 최솟값은 $\dfrac{1}{2}$이다.

(참고) 임의의 실수 x에 대하여 $g''(g(-x))>0$, $g'(g(-x))>0$, $g''(-x)>0$임을 이용하면

$$h''(x)=g''(g(-x))\{g'(-x)\}^2+g'(g(-x))g''(-x)>0$$

이다. 그러므로 $h(x)$의 그래프는 아래로 볼록함을 알 수 있다.

7. 2022학년도 세종대 수시 논술 (A형)

[문제 1] 실수 t에 대하여 함수 $f(x)$를 $f(x) = te^{-x^2}$ $(x > 0)$이라 정의하자. 곡선 $y = f(x)$ 위의 점 중 원점 O와 가장 가까운 점을 P, 변곡점을 Q라 할 때 다음 물음에 각각 답하시오. (단, $t > \dfrac{\sqrt{2}}{2}$)

(1-1) 점 Q의 x좌표를 구하시오. (70점)

(1-2) 원점 O와 점 P사이의 거리를 t에 대한 식으로 나타내시오. (80점)

(1-3) $\angle OPS = \dfrac{\pi}{2}$를 만족하는 x축 위의 점 S$(r, 0)$에 대하여 r가 최소일 때, 점 P의 x좌표를 구하시오. (80점)

[문제 2] 실수 전체의 집합에서 미분가능한 함수 $f(x)$와 $g(x)$는 다음 조건을 만족시킨다.

> 모든 실수 x, y에 대하여 $f(x) - f(y) \le (x - y)g(x)$이다.

(2-1) 모든 실수 x, y에 대하여 $(x - y)g(y) \le f(x) - f(y)$가 성립함을 보이시오. (70점)

(2-2) 모든 실수 x에 대하여 $f'(x) = g(x)$임을 보이시오. (80점)

(2-3) 모든 실수 x에 대하여 $8f(x) + f(-2x) = 18$일 때, $f(x)$를 구하시오. (80점)

[문제 3] 최고차항의 계수가 1인 삼차함수 $f(x)$에 대하여 $g(x) = f(x)e^x$이라 정의할 때, 함수 $g(x)$는 다음 조건을 만족시킨다.

> (가) 모든 실수 x에 대하여 $\displaystyle\int_1^x g(t)dt \ge 0$이다.
>
> (나) $g(x)$는 $x = 3$에서 극솟값 0을 갖는다.

(3-1) $f(1) = 0$임을 보이시오. (80점)

(3-2) $g(x)$를 구하고 도함수와 이계도함수를 이용하여 곡선 $y = g(x)$의 개형을 좌표평면에 그리시오. 또한 극대, 극소, 변곡점이 되는 x의 값을 모두 구하시오. (80점)

(3-3) 실수 t에 대하여 방정식 $g'(t) = \dfrac{g(x+1) - g(t)}{x - t}$를 만족시키는 서로 다른 실수 x의 개수를 $h(t)$라 정의하자. 구간 $[2, 3]$에 속하는 t중에서 $h(t) = 2$를 만족시키는 t의 개수를 구하시오. (80점)

(1-1) $f'(x) = t\left(-2xe^{-x^2}\right)$이다. $f''(x) = t(4x^2 - 2)e^{-x^2}$이므로 $f''\left(\dfrac{\sqrt{2}}{2}\right) = 0$이다.

$0 < x < \dfrac{\sqrt{2}}{2}$에서 $f''(x) < 0$, $x > \dfrac{\sqrt{2}}{2}$에서 $f''(x) > 0$이므로 Q의 x좌표는 $\dfrac{\sqrt{2}}{2}$이다.

(1-2) 원점과 곡선 위의 점 $R\left(x, te^{-x^2}\right)$사이의 거리를 $d(x)$라 하면 $d(x)$가 최소이기 위한 필요충분조건은 $D(x) = \{d(x)\}^2 = x^2 + t^2 e^{-2x^2}$이 최소인 것이다.

$D'(x) = 2x\left(1 - 2t^2 e^{-2x^2}\right) = 0$을 만족하는 근을 α라 하면, $\alpha = \sqrt{\dfrac{\ln(2t^2)}{2}}$ 이다.

$0 < x < \alpha$이면 $D'(x) < 0$이고 $x > \alpha$이면 $D'(x) > 0$이므로 $d(x)$는 $x = \alpha$일 때 최소이다.

따라서 구하는 거리는 $\sqrt{\dfrac{\ln(2t^2)+1}{2}}$ 이다.

(1-3) 두 점 P와 S를 지나는 직선을 ℓ이라 하자.

직선 OP의 기울기는 $\dfrac{te^{-\alpha^2}}{\alpha}$이므로 직선 ℓ의 기울기는 $\dfrac{-\alpha e^{\alpha^2}}{t}$이다.

ℓ의 방정식은 $y = \dfrac{-\alpha e^{\alpha^2}}{t}(x - \alpha) + te^{-\alpha^2}$이므로 식 $\alpha = \sqrt{\dfrac{\ln(2t^2)}{2}}$ 으로부터 $r = \alpha + \dfrac{1}{2\alpha}$ 이 되고, $\alpha + \dfrac{1}{2\alpha} \geq 2\sqrt{\alpha\dfrac{1}{2\alpha}} = \sqrt{2}$로부터 r는 $\alpha = \dfrac{1}{2\alpha}$일 때 최소가 된다.

$1 = 2\alpha^2 = \ln(2t^2)$이므로 $t = \sqrt{\dfrac{e}{2}} > \dfrac{\sqrt{2}}{2}$이고, 이때 P의 x좌표는 $\alpha = \sqrt{\dfrac{\ln(2t^2)}{2}} = \dfrac{\sqrt{2}}{2}$이다.

(2-1) 주어진 식에서 x와 y를 교환하면 $f(y) - f(x) \leq (y - x)g(y)$이다.
따라서 $(x - y)g(y) \leq f(x) - f(y)$이다.

(2-2) $(x - y)g(y) \leq f(x) - f(y) \leq (x - y)g(x)$에서
$x > y$이면

$$g(y) \leq \frac{f(x) - f(y)}{x - y} \leq g(x)$$

이다. $f(x)$가 미분가능하고

$$\lim_{y \to x-} g(y) \leq \lim_{y \to x-} \frac{f(x) - f(y)}{x - y} \leq \lim_{y \to x-} g(x)$$

이므로 $g(x) \leq f'(x) \leq g(x)$이다.
따라서 $f'(x) = g(x)$이다.
[별해] $x > y$이면

$\dfrac{f(x) - f(y)}{x - y} \leq g(x)$이므로 $\lim_{y \to x-} \dfrac{f(x) - f(y)}{x - y} \leq \lim_{y \to x-} g(x)$이고 $f'(x) \leq g(x)$이다.

$x < y$이면

$\dfrac{f(x) - f(y)}{x - y} \geq g(x)$이므로 $\lim_{y \to x+} \dfrac{f(x) - f(y)}{x - y} \geq \lim_{y \to x+} g(x)$이고 $f'(x) \geq g(x)$이다.

따라서 $f'(x) = g(x)$이다.

(2−3) 양변을 미분하면 $4f'(x)-f'(-2x)=0$이다. (2−2)의 결과에 의해 $f'(x)=g(x)$

이다. (2−2)의 풀이에서 $x>y$이면 $g(y)\le \dfrac{f(x)-f(y)}{x-y}\le g(x)$이므로 $g(x)\ge g(y)$이다.

따라서 $g'(x)\ge 0$이 되고 $f''(x)\ge 0$이다.

$2f''(x)+f''(-2x)=0$에서 $f''(x)=0$을 얻는다.

$4f'(x)-f'(-2x)=0$에 $x=0$을 대입하면 $4f'(0)-f'(0)=0$이 되어 $f'(0)=0$이다.

즉 모든 실수 x에 대하여 $f'(x)=0$이다. 따라서 $f(x)$는 상수함수이다.

그런데 $8f(0)+f(0)=18$이므로 $f(0)=2$이다. 그러므로 모든 실수 x에 대하여 $f(x)=2$

이다.

(3−1) $G(x)=\displaystyle\int_{1}^{x} g(t)dt$라 정의하면 $G(x)$는 임의의 실수 x에 대하여 $G(x)\ge 0$이며

$G(1)=0$이다. 따라서 $G(x)$는 $x=1$에서 극솟값 0을 가진다. 그런데 $G(x)$는 미분가능한

함수이므로 $G'(1)=0$이고, 적분과 미분의 관계를 이용하면 $G'(x)=g(x)$이므로

$g(1)=G'(1)=0$이다. $f(x)=g(x)e^{-x}$이므로 $f(1)=g(1)e^{-1}=0$이다.

(3−2) (3−1)의 결과와 조건 (나)로부터 $f(1)=f(3)=0$이다. 만일 방정식 $f(x)=0$의

실근 $x=3$이 중근이 아니면 $x=3$을 경계로 함수 $g(x)$의 부호가 바뀌므로 $g(x)$는 $x=3$

에서 극솟값을 가질 수 없다. 따라서 조건 (나)에 의해 $f(x)=(x-1)(x-3)^2$이다.

이때 $g(x)=(x-1)(x-3)^2 e^x$이고 $g'(x)=(x+1)(x-2)(x-3)e^x$, $g''(x)=(x-1)(x^2-7)e^x$

이다. 이를 이용하여 증감표를 작성하면 $g(x)$는 $x=-1$, 3에서 극소, $x=2$에서 극대이며

$x=1$, $\pm\sqrt{7}$에서 변곡점을 갖는다.

$g(1)=g(3)=0$이고 $x<1$일 때 $g(x)<0$이므로 함수 $y=g(x)$의 그래프는 다음과 같다.

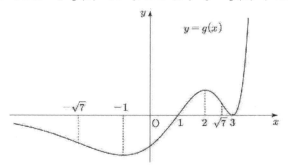

[별해] (3−1)의 결과와 조건 (나)로부터 $f(1)=f(3)=g(3)=g'(3)=0$이다.

그런데 $g'(x)=\{f'(x)+f(x)\}e^x$이므로 $0=g'(3)=\{f'(3)+f(3)\}e^3=f'(3)e^3$이다. 따라서

$f'(3)=0$이고 $f(x)=(x-1)(x-3)^2$이다. 이후의 내용은 위의 풀이와 같다.

(3−3) 방정식 $g'(t)=\dfrac{g(x+1)-g(t)}{x-t}$는 $g'(t)(x-t)+g(t)=g(x+1)(x\ne t)$와 같으므로

$h(t)$는 곡선 $y=g(x)$위의 점 $(t, g(t))$에서의 접선이 곡선 $y=g(x+1)$과 만나는 점 중

$(t,\ g(t))$가 아닌 점의 개수이다. 그래프를 이용하여 구간 $[2,\ 3]$에 속하는 t중에서 $h(t)=2$를 만족시키는 t를 찾으면 된다. 일단 $t=2$일 때 아래 그림과 같이 점 $(2,\ g(2))$에서의 접선이 곡선 $y=g(x+1)$과 두 점에서 만나며, 그 두 점의 x좌표는 2가 아니다. 따라서 $h(2)=2$이다.

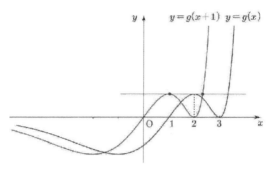

이제 $t>2$인 경우를 생각하기 위해 t를 조금씩 증가시켜 보면 곡선 $y=g(x)$위의 점 $(t,\ g(t))$에서의 접선의 기울기는 음수이며 점점 감소하다가 변곡점인 $(\sqrt{7},\ g(\sqrt{7}))$에서 최소가 된다. 이때까지의 접선은 곡선 $y=g(x+1)$과 계속 한 점에서만 만난다. 그 이후에는 기울기가 다시 증가하기 시작하지만 기울기는 여전히 음수이고 접선은 곡선 $y=g(x+1)$과 한동안 계속 한 점에서만 만나게 된다. 그렇지만 결국 아래 그림과 같이 곡선 $y=g(x)$위의 점 $(\alpha,\ g(\alpha))$에서의 접선이 곡선 $y=g(x+1)$과도 접하게 되는 α가 $\sqrt{7}$과 3사이에 유일하게 존재하며, 이때 접선과 곡선 $y=g(x+1)$은 서로 다른 두 점에서 만난다. 이 경우 $\dfrac{5}{2}<\sqrt{7}<\alpha<3$이므로 $(\alpha-3)^2<(\alpha-2)^2$이고 다음이 성립한다.

$$g(\alpha)=(\alpha-1)(\alpha-3)^2 e^\alpha < \alpha(\alpha-2)^2 e^{\alpha+1}=g(\alpha+1)$$

따라서 아래 그림에서 점 $(\alpha,\ g(\alpha))$에서의 접선과 곡선 $y=g(x+1)$이 만나는 두 점의 x좌표는 모두 α보다 작다. 그러므로 $2<t<\alpha$일 때 $h(t)\le 1$이고, $h(\alpha)=2$이다.

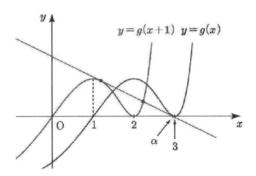

$\alpha<t<3$인 경우에는 곡선 $y=g(x)$위의 점 $(t,\ g(t))$에서의 접선이 곡선 $y=g(x+1)$과 서로 다른 세 점에서 만나며, 그래프를 통해 위 그림과 비교하여 보면 그 세 점의 x좌표는 모두 t보다 작은 것을 쉽게 알 수 있다. 즉, 이 경우 $h(t)=3$이다.

$t=3$일 때는 아래 그림과 같이 점 $(3,\ g(3))$에서의 접선이 곡선 $y=g(x+1)$과 두 점에서 만나며 두 점의 x좌표는 모두 3보다 작다. 그러므로 $h(3)=2$이다.

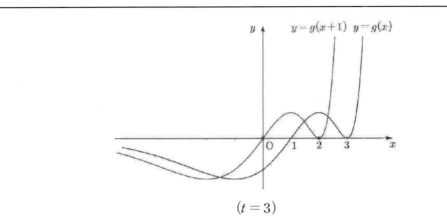

$(t = 3)$

결국 $h(t) = 2$를 만족시키는 $t \in [2, 3]$은 $t = 2, \alpha, 3$일 때뿐이므로 $h(t) = 2$를 만족시키는 t의 개수는 3이다.

8. 2022학년도 세종대 수시 논술 (B형)

[문제 1] 아래 그림에 있는 삼각형 ABC는 시각 $t \geq 0$에 따라 크기가 변하며, 다음 조건을 만족시킨다.

> (가) 시각 $t = 0$에서 $\overline{BC} = 1$이다.
>
> (나) 임의의 시각 $t \geq 0$에서 $\angle B = \dfrac{\pi}{4}$이고 $\overline{BC} : \overline{AB} = 1 : 2\sqrt{2}$이다.
>
> (다) 임의의 시각 $t > 0$에서 삼각형 ABC의 넓이의 순간변화율은 $\dfrac{4}{3}t + 6$이다.

(1−1) $\sin C$를 구하시오. (70점)

(1−2) 시각 t에서 선분 BC의 길이를 $\ell(t)$라 할 때, $\displaystyle\lim_{t \to \infty} \dfrac{\ell(t)}{t}$의 값을 구하시오. (80점)

(1−3) 삼각형 ABC의 외심을 Z라 하자. 선분 BC의 길이가 5일 때, 사각형 ZBCA의 넓이의 순간변화율을 구하시오. (80점)

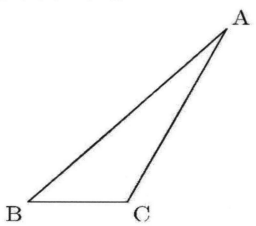

[문제 2] 실수 전체의 집합에서 미분가능한 함수 $f(x)$는 다음 조건을 만족시킨다.

> (가) 모든 실수 x에 대하여 $f(2x) = 4f(x)$이다.
>
> (나) $\displaystyle\int_1^2 f(x)dx = 6$
>
> (다) 최고차항의 계수가 1인 삼차함수 $g(x)$에 대하여 $1 \le x \le 2$에서 $f(x) = g(x)$이다.

(2−1) $\displaystyle\int_1^3 2^x f(2^x)dx$를 구하시오. **(70점)**

(2−2) $\displaystyle\int_0^1 f(x)dx$를 구하시오. **(80점)**

(2−3) $g(x)$를 구하시오. **(80점)**

[문제 3] 닫힌구간 $[-1, 1]$에서 연속이고 열린구간 $(-1, 1)$에서 이계도함수가 존재하는 함수 $f(x)$가 다음 조건을 만족시킨다.

> (가) $0 < x < \pi$인 모든 실수 x에 대하여 $f'(\cos x) = e^x$이다.
>
> (나) $f(1) = \dfrac{1}{2}$

$0 \le x \le 2\pi$일 때 함수 $g(x)$를 $g(x) = f(\cos x)$라 정의하자. 다음 물음에 각각 답하시오.

(3−1) $0 \le x \le \pi$일 때 $g(x)$를 구하시오. **(80점)**

(3−2) $\pi \le x \le 2\pi$일 때 함수 $g(x)$를 구하고, $0 \le x \le 2\pi$일 때 곡선 $y = g(x)$의 그래프의 개형을 그리시오. 또한 이 곡선이 x축과 만나는 점의 x좌표와 변곡점의 x좌표를 모두 구하고, 함수 $g(x)$의 최솟값을 m, 최댓값을 M이라 할 때 상수 m과 M을 각각 구하시오. **(80점)**

(3−3) (3−2)에서 구한 상수 m과 M에 대하여 열린구간 (m, M)을 I라 하자. 실수 $t \in I$에 대하여 직선 $y = t$가 곡선 $y = g(x)$와 만나서 생기는 두 점 사이의 거리를 $h(t)$라 정의하자. 미분가능한 함수 $h(t)$에 대하여 $h(k) = \pi$일 때 상수 k와 $h'(k)$의 값을 각각 구하시오. **(80점)**

(1−1) 시각 $t = 0$에서 코사인법칙을 사용하면

$$\overline{AC}^2 = 1^2 + (2\sqrt{2})^2 - 2 \cdot 1 \cdot 2\sqrt{2}\cos\frac{\pi}{4} = 5$$

이다. 따라서 $\overline{AC} = \sqrt{5}$이다. 사인법칙에 의해 $\dfrac{\sin C}{2\sqrt{2}} = \dfrac{\sin\dfrac{\pi}{4}}{\sqrt{5}}$이므로, $\sin C = \dfrac{2\sqrt{5}}{5}$이다.

(1-2) 시각 t에서 삼각형 ABC의 넓이를 $S(t)$라고 하면, 조건으로부터 $S'(t) = \dfrac{4}{3}t + 6$이므로 $S(t) = \dfrac{2}{3}t^2 + 6t + K$ (K는 실수)이다. 조건에 의해 $S(0) = \dfrac{1}{2} \cdot 1 \cdot 2\sqrt{2} \cdot \sin\dfrac{\pi}{4} = 1$이므로 $K = 1$이고 $S(t) = \dfrac{2}{3}t^2 + 6t + 1$이 된다.

한편

$$S(t) = \frac{1}{2} \cdot \ell(t) \cdot 2\sqrt{2}\,\ell(t)\sin\frac{\pi}{4} = \{\ell(t)\}^2$$

이므로,

$\ell(t) = \sqrt{\dfrac{2}{3}t^2 + 6t + 1}$ 이고 $\dfrac{\ell(t)}{t} = \sqrt{\dfrac{2}{3} + \dfrac{6}{t} + \dfrac{1}{t^2}}$ 이다. 따라서 $\displaystyle\lim_{t \to \infty}\dfrac{\ell(t)}{t} = \dfrac{\sqrt{6}}{3}$ 이다.

(1-3) 삼각형 ABC에 대하여 외접원의 반지름을 $R(t)$라 하면,

$$2R(t) = \frac{\overline{\mathrm{AB}}}{\sin C} = \frac{2\sqrt{2}\,\ell(t)}{2/\sqrt{5}}$$

가 성립하므로, $R(t) = \dfrac{\sqrt{5}}{\sqrt{2}}\ell(t)$이다. 사각형 ZBCA의 넓이를 $T(t)$, 삼각형 ABC의 넓이를 $S(t)$, 삼각형 AZB의 넓이를 $T_1(t)$라 하면, $T(t) = S(t) + T_1(t)$이고 (1-2)번 풀이에서 $S(t) = \{\ell(t)\}^2$임을 구했으므로, $T_1(t)$를 구하면 된다.

$$T_1(t) = \frac{1}{2}\{R(t)\}^2\sin(\angle \mathrm{AZB})$$

인데,

$$\cos(\angle \mathrm{AZB}) = \frac{2\{R(t)\}^2 - 8\{\ell(t)\}^2}{2\{R(t)\}^2} = -\frac{3}{5}$$

이므로 $\sin(\angle \mathrm{AZB}) = \dfrac{4}{5}$가 되어, $T_1(t) = \{\ell(t)\}^2 = S(t)$이고, $T(t) = 2S(t)$가 된다.

(1-2)번 풀이의 $\ell(t) = \sqrt{\dfrac{2}{3}t^2 + 6t + 1}$ **로부터**, $\ell(t) = 5$이면 $t = 3$이다.

$S'(t) = \dfrac{4}{3}t + 6$이므로, $S'(3) = 10$이 되고, 따라서 $T'(3) = 20$이다.

(2-1) $u = 2^x$으로 치환하면 $du = 2^x \ln 2\, dx$이므로 $\displaystyle\int_1^3 2^x f(2^x)dx = \dfrac{1}{\ln 2}\int_2^8 f(u)du$이다.

$$\int_2^4 f(x)dx = \int_1^2 f(2y)2\,dy = 8\int_1^2 f(y)dy = 48$$

이고

156

$$\int_4^8 f(x)dx = \int_2^4 f(2y)2dy = 8\int_2^4 f(y)dy = 384$$

이다. 따라서

$$\int_2^8 f(x)dx = \int_2^4 f(x)dx + \int_4^8 f(x)dx = 432$$

이다. 그러므로

$$\int_1^3 2^x f(2^x)dx = \frac{1}{\ln 2}\int_2^8 f(u)du = \frac{432}{\ln 2}$$

이다.

(2−2) $\int_0^2 f(x)dx$에서 $u = \dfrac{x}{2}$로 치환하면

$$\int_0^2 f(x)dx = \int_0^1 f(2u)2du = \int_0^1 8f(u)du = 8\int_0^1 f(x)dx$$

이다.

$$8\int_0^1 f(x)dx = \int_0^2 f(x)dx = \int_0^1 f(x)dx + \int_1^2 f(x)dx = 6 + \int_0^1 f(x)dx$$

이므로

$$\int_0^1 f(x)dx = \frac{6}{7}$$

이다.

[별해] $\int_1^2 f(x)dx = 6$이므로 $\int_{2^{-k}}^{2^{-k+1}} f(x)dx = \int_1^2 f(2^{-k}x)2^{-k}dx = 8^{-k}\int_1^2 f(x)dx = \dfrac{6}{8^k}$이

다. 따라서 $\int_0^1 f(x)dx = \displaystyle\sum_{k=1}^{\infty}\int_{2^{-k}}^{2^{-k+1}} f(x)dx = \displaystyle\sum_{k=1}^{\infty}\dfrac{6}{8^k} = \dfrac{6}{7}$이다.

(2−3) $f(2x) = 4f(x)$에서 $2f'(2x) = 4f'(x)$이다.

따라서 $f(2) = 4f(1)$**이고** $f'(2) = 2f'(1)$**이다.**

$g(x) = x^3 + ax^2 + bx + c$**라 하자.** $g'(x) = 3x^2 + 2ax + b$**이다.**

$g(2) = 4g(1)$, $g'(2) = 2g'(1)$**이므로** $2b + 3c = 4$, $b = 6$**이다. 따라서** $c = -\dfrac{8}{3}$**이다.**

$\int_1^2 \left(x^3 + ax^2 + 6x - \dfrac{8}{3}\right)dx = 6$**에서** $a = -\dfrac{7}{4}$**이다. 그러므로** $g(x) = x^3 - \dfrac{7}{4}x^2 + 6x - \dfrac{8}{3}$**이다.**

(3−1) 조건 (가)에서 $0 < x < \pi$**일 때** $f'(\cos x) = e^x$**이므로 다음을 얻는다.**

$$g'(x) = f'(\cos x)(-\sin x) = -e^x \sin x$$

양변을 적분하면 $f(\cos x) = g(x) = \dfrac{1}{2}e^x(\cos x - \sin x) + C$**이다.**

그런데 함수 $g(x)$는 구간 $[0,\ \pi]$에서 연속이므로 이 식은 $0 \leq x \leq \pi$에서도 성립한다.

이 식의 양변에 $x=0$을 대입하면 $f(1) = g(0) = \dfrac{1}{2} + C$인데 조건 (나)를 이용하면 $C=0$이

다. 따라서 다음을 얻는다.

$$g(x) = \frac{1}{2}e^x(\cos x - \sin x)(0 \leq x \leq \pi)$$

(3−2) $\pi \leq x \leq 2\pi$**일 때**

$0 \leq 2\pi - x \leq \pi$이고 $g(2\pi - x) = f(\cos(2\pi - x)) = f(\cos x) = g(x)$이므로

곡선 $y=g(x)$는 직선 $x = \pi$에 대칭이다. 그러므로 **(3−1)**에서 구한 $0 \leq x \leq \pi$일 때의

$g(x)$의 식에 x대신 $2\pi - x$를 대입하면 다음을 얻는다.

$$g(x) = g(2\pi - x) = \frac{1}{2}e^{2\pi - x}\{\cos(2\pi - x) - \sin(2\pi - x)\} = \frac{1}{2}e^{2\pi - x}(\cos x + \sin x)(\pi \leq x \leq 2\pi)$$

그래프를 그리기 위해 우선 $0 < x < \pi$일 때를 생각하면, $g'(x) = -e^x\sin x < 0$이므로 $g(x)$
는 감소한다.

또한 $g''(x) = -e^x(\cos x + \sin x)$이므로 $g''(x) = 0$일 때를 생각하면 $\cos x + \sin x = 0$, 즉

$\tan x = -1$이므로 $x = \dfrac{3\pi}{4}$이다. 따라서 $x = \dfrac{3\pi}{4}$일 때 변곡점이 되고, $0 < x < \dfrac{3\pi}{4}$일 때

$g''(x) < 0$이므로 위로 볼록하고, $\dfrac{3\pi}{4} < x < \pi$일 때 $g''(x) > 0$이므로 아래로 볼록하다. 이

제 $0 \leq x \leq \pi$일 때 이 곡선이 x축과 만나는 점의 x좌표를 구하기 위해

$g(x) = \dfrac{1}{2}e^x(\cos x - \sin x) = 0$을 풀면 $\cos x - \sin x = 0$에서 $\tan x = 1$이다.

$0 \leq x \leq \pi$이므로 $x = \dfrac{\pi}{4}$이다. 즉, 구간 $[0,\ \pi]$에서 x축과 만나는 점의 x좌표는 $\dfrac{\pi}{4}$뿐이

다. 따라서 구간 $[0,\ \pi]$에서 곡선 $y=g(x)$의 그래프의 개형을 그리면 다음과 같다.

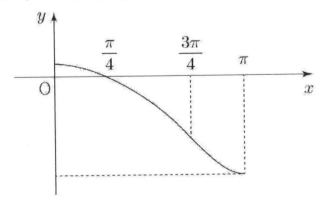

$g'(\pi) = 0$이고, 그래프의 대칭성을 생각하면 구간 $[0,\ 2\pi]$에서 곡선 $y=g(x)$의 그래프의
개형은 다음과 같다.

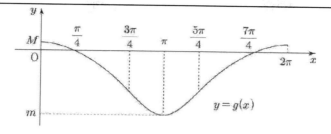

그러므로 이 곡선이 x축과 만나는 점의 x좌표는 $\dfrac{\pi}{4}$와 $\dfrac{7\pi}{4}$이고 변곡점의 x좌표는 $\dfrac{3\pi}{4}$와

$\dfrac{5\pi}{4}$이다. 또한 $m=g(\pi)=-\dfrac{e^\pi}{2}$, $M=g(0)=g(2\pi)=\dfrac{1}{2}$이다.

(3-3) $h(k)=\pi$일 때 직선 $y=k$가 곡선 $y=g(x)$와 만나서 생기는 두 점의 x좌표는

각각 $\dfrac{\pi}{2}$와 $\dfrac{3\pi}{2}$이다. 이때 $k=g\left(\dfrac{\pi}{2}\right)=-\dfrac{1}{2}e^{\frac{\pi}{2}}$이다.

곡선 $y=g(x)$의 그래프의 대칭성을 이용하면 $g\left(\pi-\dfrac{1}{2}h(t)\right)=t$이고,

이 식의 양변을 미분하면 $-\dfrac{1}{2}g'\left(\pi-\dfrac{1}{2}h(t)\right)h'(t)=1$이므로 $h'(t)=-\dfrac{2}{g'\left(\pi-\dfrac{1}{2}h(t)\right)}$이다.

이 식에 $t=k$, $h(k)=\pi$를 대입하면 다음을 얻는다.

$$h'(k)=-\dfrac{2}{g'\left(\dfrac{\pi}{2}\right)}=-\dfrac{2}{-e^{\frac{\pi}{2}}\sin\dfrac{\pi}{2}}=2e^{-\frac{\pi}{2}}$$

[별해] 함수 $g(x)$는 구간 $[0,\ \pi]$에서 감소함수이므로 역함수를 갖는다.

그러므로 구간 $(m,\ M)$에 속하는 실수 t에 대하여 직선 $y=t$가 곡선 $y=g(x)$와

$0<x<\pi$에서 만나서 생기는 점의 x좌표는 $g^{-1}(t)$로 나타낼 수 있다.

곡선 $y=g(x)$의 대칭성을 이용하면 $h(t)=2\{\pi-g^{-1}(t)\}$이다.

따라서 $h(k)=\pi$일 때 $h(k)=2\{\pi-g^{-1}(k)\}=\pi$로부터 $g^{-1}(k)=\dfrac{\pi}{2}$이고 $k=g\left(\dfrac{\pi}{2}\right)=-\dfrac{1}{2}e^{\frac{\pi}{2}}$

이다.

역함수의 미분법을 사용하여 $h(t)=2\{\pi-g^{-1}(t)\}$의 도함수를 구하면

$$h'(t)=-2\{g^{-1}(t)\}'=-\dfrac{2}{g'\left(g^{-1}(t)\right)}$$

이다. 위의 식에 $t=k$, $g^{-1}(t)=\dfrac{\pi}{2}$를 대입하면 다음을 얻는다.

$$h'(k)=\dfrac{2}{e^{\frac{\pi}{2}}\sin\dfrac{\pi}{2}}=2e^{-\frac{\pi}{2}}$$

9. 2022학년도 세종대 수시 논술 (C형)

[문제 1] 실수 전체의 집합에서 정의된 함수 $f(x) = 2e^x - e^{-x}$에 대하여 다음 물음에 각각 답하시오.

(1−1) 함수 $f(x)$의 역함수 $f^{-1}(x)$가 존재함을 보이시오. (70점)

(1−2) 함수 $F(x) = \displaystyle\int_0^x tf^{-1}(t)dt$는 $x = 1$에서 극솟값을 가짐을 보이시오. (80점)

(1−3) $F(1)$의 값을 구하시오. (80점)

[문제 2] 시각 $t > 0$에서 함수 $f(x)$를 모든 실수 x에 대하여 다음과 같이 정의하자.
$$f(x) = t(x-t)(x-t-1)$$
점 Q$(t, 0)$에서 곡선 $y = f(x)$에 접하는 직선을 L이라 하자.

중심 Z가 제 4사분면에 있는 원 C는 y축에 접하며 점 Q에서 직선 L에도 접한다.

(2−1) 시각 t에서 곡선 $y = f(x)$와 직선 L및 y축으로 둘러싸인 도형의 넓이를 t에 대한 식으로 나타내시오. (70점)

(2−2) 시각 t에서 원 C의 중심 Z의 좌표를 $(a(t), b(t))$라 할 때, $\displaystyle\lim_{t \to \infty} \frac{t\{b(t)\}^2}{a(t)}$을 구하시오. (80점)

(2−3) 시각 t에서 원 C가 x축과 만나는 점 중에서 Q가 아닌 점을 P라 하고, $\angle$PZQ를 θ라 하자. 시각 $t_1, t_2 (0 < t_1 < t_2)$에서 $\sin\theta$의 값이 서로 같고, $t_1 + t_2 = 14$일 때 t_1의 값을 구하시오. (80점)

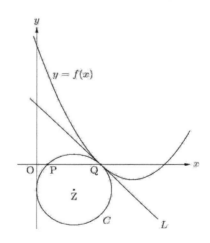

[문제 3] $x \geq 0$에서 연속인 함수 $f(x)$는 다음 조건을 만족시킨다.

> (가) $x > 0$에서 $f(x)$는 두 번 미분가능하고 $f(x) > 0$, $f'(x) > 0$, $f''(x) > 0$이다.
> (나) 곡선 $y = f(x)$위의 점 $(a, f(a))$에서의 접선이 점 A$(0, -\sqrt{2})$를 지난다.
> (단, $a > 0$)

곡선 $y=f(x)$와 직선 $y=-\sqrt{2}$ 및 두 직선 $x=0$, $x=2a$로 둘러싸인 도형을 S라 하자. 도형 S에서 점 A와 점 $(x, f(x))(0 \leq x \leq 2a)$를 잇는 가장 짧은 경로의 길이를 $\ell(x)$라 하자.

(3-1) $x=a$에서 $\ell(x)$가 미분가능함을 보이시오. (80점)

(3-2) $\ell(x)=\dfrac{x^3}{3}+x^2+\dfrac{5}{3}$일 때 접점 $(a, f(a))$를 구하시오. (80점)

(3-3) (3-2)의 $\ell(x)$에 대하여 $f(x)(0 \leq x \leq 2a)$를 구하시오. (80점)

(1-1) $f'(x)=2e^x+e^{-x}>0$이므로 $f(x)$는 증가함수이다. 따라서 $y=f(x)$는 일대일대응이다. 그러므로 역함수 $f^{-1}(x)$가 존재한다.

[별해] 역함수 $y=\ln\dfrac{x+\sqrt{x^2+8}}{4}$ 을 직접 구한다.

(1-2) $f^{-1}(1)=a$라 하면 $1=f(a)=2e^a-e^{-a}$이다.

$e^a=A$라 놓으면 $0=2A^2-A-1=(A-1)(2A+1)$로부터 $1=A=e^a$이고 $a=0$이다.

$F'(x)=xf^{-1}(x)$로부터 $F'(1)=f^{-1}(1)=0$이다.

$$F''(x)=f^{-1}(x)+x\left\{f^{-1}(x)\right\}'=f^{-1}(x)+\frac{x}{f'\left(f^{-1}(x)\right)}$$

이므로

$$F''(1)=f^{-1}(1)+\frac{1}{f'\left(f^{-1}(1)\right)}=\frac{1}{3}>0$$

이다. 따라서 $F(x)$는 $x=1$에서 극솟값을 갖는다.

[별해] $f(0)=1$로부터, $f^{-1}(1)=0$이다. $F'(x)=xf^{-1}(x)$로부터 $F'(1)=f^{-1}(1)=0$이다. $f^{-1}(x)$는 증가함수이고 $f^{-1}(1)=0$이므로,

$x<1$이면 $f^{-1}(x)<0$이고, $x>1$이면 $f^{-1}(x)>0$이다.

따라서 $0<x<1$이면 $F'(x)=xf^{-1}(x)<0$, $x>1$이면 $F'(x)=xf^{-1}(x)>0$이므로 $F(x)$는 $x=1$에서 극솟값을 가진다.

(1-3) $f^{-1}(0)=a$라 하면 $0=f(a)=2e^a-e^{-a}$이다. $e^a=A$라 놓으면 $0=2A^2-1$로부터 $\dfrac{1}{\sqrt{2}}=A=e^a$이고 $a=\ln\dfrac{1}{\sqrt{2}}$이다.

$$\int_0^1 xf^{-1}(x)dx=\left[\frac{1}{2}x^2 f^{-1}(x)\right]_0^1-\int_0^1 \frac{1}{2}x^2\left\{f^{-1}(x)\right\}'dx=-\int_0^1 \frac{1}{2}x^2\frac{1}{f'\left(f^{-1}(x)\right)}dx$$

$(t=f^{-1}(x)$로 치환, $x=f(t)$, $dx=f'(t)dt)$

$$=-\int_{f^{-1}(0)}^{f^{-1}(1)} \frac{1}{2}\{f(t)\}^2\frac{1}{f'(t)}f'(t)dt=-\int_{f^{-1}(0)}^{f^{-1}(1)} \frac{1}{2}(2e^t-e^{-t})^2dt$$

$$=-\int_{\ln\frac{1}{\sqrt{2}}}^0 \frac{1}{2}(2e^t-e^{-t})^2dt=\ln2-\frac{3}{4}$$

[별해] $f^{-1}(0)=a$라 하면 $0=f(a)=2e^a-e^{-a}$이다. $e^a=A$라 놓으면 $0=2A^2-1$로부터 $\dfrac{1}{\sqrt{2}}=A=e^a$이고 $a=\ln\dfrac{1}{\sqrt{2}}$이다.

$t=f^{-1}(x)$로 **치환하면** $x=f(t)$, $dx=f'(t)dt$**이므로**

$$\int_0^1 xf^{-1}(x)dx=\int_{\ln\frac{1}{\sqrt{2}}}^0 f(t)tf'(t)dt=\int_{\ln\frac{1}{\sqrt{2}}}^0 t(2e^t-e^{-t})(2e^t+e^{-t})dt=\ln 2-\frac{3}{4}$$

(2−1) $f'(x)=t(2x-2t-1)$**이므로,** $f'(t)=-t$**이다. 따라서 직선** L**의 방정식은**

$y=-t(x-t)$**이고, 구하는 도형의 넓이는** $\displaystyle\int_0^t \{t(x-t)(x-t-1)+t(x-t)\}dx=\dfrac{t^4}{3}$**이다.**

(2−2) $f'(t)=-t$**이므로, 점 Q에서 직선** L**에 수직인 직선의 방정식은** $y=\dfrac{1}{t}(x-t)$**, 즉** $x=ty+t$**이다.**

원 C**가 점** $Q(t,\,0)$**을 지나고, 중심이 이 직선 상에 있으므로, 다음 두 식이 성립한다.**

$$(t-a)^2+b^2=a^2,\quad a=t(b+1)$$

이 식을 풀면, $b(t)=-t(\sqrt{t^2+1}-t)$, $a(t)=t\sqrt{t^2+1}(\sqrt{t^2+1}-t)=-\sqrt{t^2+1}\,b(t)$**이다.**

$\dfrac{t\{b(t)\}^2}{a(t)}=\dfrac{t^2}{\sqrt{t^2+1}(\sqrt{t^2+1}+t)}$ **이 되므로,** $\displaystyle\lim_{t\to\infty}\dfrac{t\{b(t)\}^2}{a(t)}=\dfrac{1}{2}$**이다.**

(2−3) 시각 t**에서** $H=(a,\,0)$**이라 하면**

$\angle PZH=\dfrac{\theta}{2}$**이다.** $\overline{ZP}=a$, $\overline{ZH}=-b$**이므로,** $\cos\dfrac{\theta}{2}=-\dfrac{b}{a}=\dfrac{1}{\sqrt{t^2+1}}$**이다.**

$0<\theta<\pi$**이므로** $\sin\dfrac{\theta}{2}=\sqrt{1-\cos^2\dfrac{\theta}{2}}=\dfrac{t}{\sqrt{t^2+1}}$**이다.**

따라서, 시각 t**에서** $\sin\theta=2\sin\dfrac{\theta}{2}\cos\dfrac{\theta}{2}=\dfrac{2t}{t^2+1}$**이다.**

시각 $t_1,\ t_2(0<t_1<t_2)$**에서** $\sin\theta$**의 값이 동일하므로,** $\dfrac{2t_1}{t_1^2+1}=\dfrac{2t_2}{t_2^2+1}$**가 성립하고,**

이 식으로부터 $t_1t_2=1$**이 나온다.**

그런데 $t_1+t_2=14$**이므로,** $t_1,\ t_2$**는** $t^2-14t+1=0$**의 해가 되어,** $t_1=7-4\sqrt{3}$**이다.**

(3−1) $y=f(x)$**의 그래프가 아래로 볼록하므로 문제의 조건에 부합하는 가장 짧은 경로는** $0\le x\le a$**일 때는 A와** $(x,\ f(x))$**를 잇는 선분이며,** $a<x\le 2a$**일 때는 A와** $(a,\ f(a))$**를 선분으로 연결한 후 곡선** $y=f(x)$**를 따라 이동해야 한다. 따라서** $\ell(x)$**는 다음과 같이 주어진다.**

$$\ell(x) = \begin{cases} \sqrt{x^2 + \{f(x)+\sqrt{2}\}^2} & (0 \le x \le a) \\[2mm] \sqrt{a^2 + \{f(a)+\sqrt{2}\}^2} + \displaystyle\int_a^x \sqrt{1+\{f'(t)\}^2}\, dt & (a < x \le 2a) \end{cases}$$

점 $(a, f(a))$에서 $y=f(x)$에 접하는 접선의 방정식은 $y=f'(a)(x-a)+f(a)$이므로 접선이 A를 지나기 위해서는 $-af'(a)+f(a)=-\sqrt{2}$이다.

$$\lim_{h \to 0+} \frac{\ell(a+h)-\ell(a)}{h} = \sqrt{1+\{f'(a)\}^2}$$

이고

$$\lim_{h \to 0-} \frac{\ell(a+h)-\ell(a)}{h} = \frac{1}{2}\frac{2a+2\{f(a)+\sqrt{2}\}f'(a)}{\sqrt{a^2+\{f(a)+\sqrt{2}\}^2}} = \frac{a+a\{f'(a)\}^2}{\sqrt{a^2+a^2\{f'(a)\}^2}} = \sqrt{1+\{f'(a)\}^2}$$

이므로

$\ell(x)$는 $x=a$에서 미분가능하고 $\ell'(a) = \sqrt{1+\{f'(a)\}^2}$ 이다.

(3−2) $\ell(a) = \sqrt{a^2+\{f(a)+\sqrt{2}\}^2} = \sqrt{a^2+\{af'(a)\}^2} = a\sqrt{1+\{f'(a)\}^2} = a\ell'(a)$**이다.**

따라서 $\dfrac{a^3}{3}+a^2+\dfrac{5}{3} = \ell(a) = a\ell'(a) = a(a^2+2a)$**이다.**

따라서 $\dfrac{1}{3}(2a^3+3a^2-5) = \dfrac{1}{3}(a-1)(2a^2+5a+5)=0$**를 얻고,**

$a=1$**이다.**

그런데 $\ell(1) = \dfrac{1}{3}+1+\dfrac{5}{3} = 3 = \sqrt{1+\{f(1)+\sqrt{2}\}^2}$ **이므로**

$f(1)=\sqrt{2}$**이고 접점은** $(1, \sqrt{2})$**이다.**

[별해] 다음과 같이 보다 직접적인 계산으로 $a=1$**을 얻을 수도 있다:**

$\ell'(a) = \sqrt{1+\{f'(a)\}^2} = a^2+2a$**이므로**

$$\{f'(a)\}^2 = (a^2+2a)^2 - 1 = (a+1)^2(a^2+2a-1)$$

이다. 따라서 $f'(a) = (1+a)\sqrt{a^2+2a-1}$ **이고,**

$$\{\ell(a)\}^2 = a^2+\{f(a)+\sqrt{2}\}^2 = a^2+\{af'(a)\}^2 = a^2+\left\{a(1+a)\sqrt{a^2+2a-1}\right\}^2$$

이다.

또한 주어진 $\ell(a) = \dfrac{a^3}{3}+a^2+\dfrac{5}{3}$ **으로부터** $\{\ell(a)\}^2 = \left(\dfrac{a^3}{3}+a^2+\dfrac{5}{3}\right)^2$ **을 얻는다.**

따라서 $a^2+\left\{a(1+a)\sqrt{a^2+2a-1}\right\}^2 = \left(\dfrac{a^3}{3}+a^2+\dfrac{5}{3}\right)^2$ **이다.**

$h(a) = a^2+\left\{a(1+a)\sqrt{a^2+2a-1}\right\}^2 - \left(\dfrac{a^3}{3}+a^2+\dfrac{5}{3}\right)^2$ **이라 하면**

$h(a) = \dfrac{1}{9}(a-1)(8a^5 + 38a^4 + 65a^3 + 55a^2 + 25a + 25)$**이고,** $a > 0$**이므로** $h(a) = 0$**인** a**는**

$a = 1$**뿐이다.**

그런데 $\ell(1) = \dfrac{1}{3} + 1 + \dfrac{5}{3} = 3 = \sqrt{1 + \{f(1) + \sqrt{2}\}^2}$ **이므로**

$f(1) = \sqrt{2}$ **이고 접점은** $(1, \sqrt{2})$**이다.**

(3−3) $(1 \le x \le 2$**인 경우)**

$\ell'(x) = \sqrt{1 + \{f'(x)\}^2} = x^2 + 2x$**이므로**

$\{f'(x)\}^2 = (x^2 + 2x)^2 - 1 = (x+1)^2(x^2 + 2x - 1)$**이다.**

그런데 $f'(x) > 0$**이므로** $f'(x) = (1+x)\sqrt{x^2 + 2x - 1}$ **이다.**

$f'(x)$**를 적분하여** $f(x) = \dfrac{1}{3}(x^2 + 2x - 1)^{3/2} + C$**를 얻는다.**

그런데 $f(1) = \sqrt{2}$**이므로** $C = \dfrac{\sqrt{2}}{3}$**이다.**

$(0 \le x \le 1$**인 경우)**

$\ell(x) = \sqrt{x^2 + \{f(x) + \sqrt{2}\}^2} = \dfrac{x^3}{3} + x^2 + \dfrac{5}{3}$**이다. 따라서**

$\{f(x) + \sqrt{2}\}^2 = \left(\dfrac{x^3}{3} + x^2 + \dfrac{5}{3}\right)^2 - x^2$**인데**

$f(x) > 0$**이므로**

$f(x) = \left\{\left(\dfrac{x^3}{3} + x^2 + \dfrac{5}{3}\right)^2 - x^2\right\}^{1/2} - \sqrt{2}$**이다.**

정리하면 $f(x)$**는 다음과 같고 문제의 조건을 모두 만족시킨다.**

$$f(x) = \begin{cases} \left\{\left(\dfrac{x^3}{3} + x^2 + \dfrac{5}{3}\right)^2 - x^2\right\}^{1/2} - \sqrt{2} & (0 \le x \le 1) \\ \dfrac{1}{3}(x^2 + 2x - 1)^{3/2} + \dfrac{\sqrt{2}}{3} & (1 < x \le 2) \end{cases}$$

10. 2022학년도 세종대 모의 논술

[문제 1] 그림과 같이 좌표평면에 중심이 $(0, \sqrt{2})$이고 반지름의 길이가 1인 원 C가 있다. 점 $\mathrm{P}(a, 0)$을 지나고 원 위의 점 T_1, T_2에서 각각 접하는 두 직선에 대하여 $\angle \mathrm{T}_1 \mathrm{P} \mathrm{T}_2 = \theta$라 하자. (단, $0 < a < 1$)

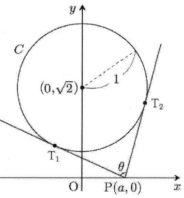

(1−1) 직선 PT_1의 기울기 m_1과 직선 PT_2의 기울기 m_2를 각각 a에 대한 식으로 나타내시오. (70점)

(1−2) $\tan\theta$를 a에 대한 식으로 나타내시오. (80점)

(1−3) $\cos\theta$를 a에 대한 식으로 나타낸 것을 $f(a)$라 할 때 극한 $\displaystyle\lim_{a\to 0+}\frac{f(a)}{a^2}$를 구하시오. (80점)

[문제 2] 실수 전체의 집합에서 미분가능한 함수 $f(x)$가 다음을 만족시킨다.

(가) 임의의 실수 x에 대하여 $f(x)=\displaystyle\int_0^x \sqrt{f(t)-t-2}\,dt+x+2$이다.

(나) $x>2$일 때 $f(x)>x+2$이고 $f(4)=7$이다.

(2−1) $x<0$일 때 $f(x)$를 구하면 $f(x)=x+k$이다. 상수 k를 구하시오. (70점)

(2−2) $x>2$일 때 $f(x)$를 구하시오. (80점)

(2−3) $f(1)$을 구하시오. (80점)

[문제 3] 실수 전체의 집합에서 정의된 함수

$$f(x)=\begin{cases} 1+\dfrac{\pi}{2}\cos\dfrac{\pi}{2}x & (|x|\le 1) \\[2mm] \dfrac{2x^4}{1+x^2} & (|x|>1) \end{cases}$$

가 있다. 실수 t에 대하여 다음 조건을 만족시키는 실수 s가 유일하게 존재하는데, 이를 $g(t)$라 정의한다.

$$\int_t^s f(x)\,dx=2$$

미분가능한 함수 $g(t)$에 대하여 다음 질문에 각각 답하시오.

(3−1) $g(-1)=0$임을 보이시오. (80점)

(3−2) $t\le g(t)\le t+2$임을 보이시오. (80점)

(3−3) $\displaystyle\lim_{t\to\infty}g'(t)$를 구하시오. (80점)

(1−1) 원 C의 방정식은 $x^2+y^2-2\sqrt{2}\,y+1=0$이다. 접선의 방정식을 $y=m(x-a)$라 두면 C의 방정식과 연립하여
$$x^2+m^2(x-a)^2-2\sqrt{2}\,m(x-a)+1=0$$
을 얻는다. $g(x)=(1+m^2)x^2+(-2\sqrt{2}\,m-2am^2)x+1+2\sqrt{2}\,am+a^2m^2$라 두고, 이차방정식 $g(x)=0$의 판별식을 D라 할 때
$$D/4=(1-a^2)m^2-2\sqrt{2}\,am-1=0$$
으로부터 $m_1=\dfrac{\sqrt{2}\,a-\sqrt{1+a^2}}{1-a^2}$, $m_2=\dfrac{\sqrt{2}\,a+\sqrt{1+a^2}}{1-a^2}$을 얻는다.

[다른 풀이] 접선 $mx - y - ma = 0$는 점 $(0, \sqrt{2})$로 부터의 거리가 1이다. 따라서 점과 직선 사이의 거리 공식에 의하여 $\left| \dfrac{-\sqrt{2} - ma}{\sqrt{m^2 + 1}} \right| = 1$을 얻는다. 양변을 제곱하여

$$m^2 + 1 = a^2 m^2 + 2\sqrt{2}\,am + 2$$

를 얻고 이는 위의 $D/4 = 0$과 동등하다.

(1-2) 두 접선 중에서 기울기가 m_1, m_2인 것을 각각 ℓ_1, ℓ_2라 하자. 또한 θ_1과 θ_2를 각각 ℓ_1, ℓ_2가 양의 x축과 이루는 각이라 하면 다음이 성립한다.

$$\tan\theta = \tan(\theta_1 - \theta_2) = \frac{\tan\theta_1 - \tan\theta_2}{1 + \tan\theta_1\tan\theta_2} = \frac{m_1 - m_2}{1 + m_1 m_2} = \frac{2\sqrt{1 + a^2}}{a^2}$$

[다른 풀이] 원의 중심을 Q라 하면 $\angle \mathrm{QPT_1} = \dfrac{\theta}{2}$이고 $\angle \mathrm{QT_1P} = \dfrac{\pi}{2}$이다.

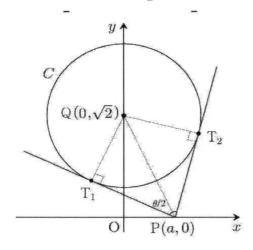

$\mathrm{PQ} = \sqrt{a^2 + 2}$이고, $\mathrm{QT_1} = 1$이므로, $\mathrm{T_1P} = \sqrt{a^2 + 1}$이다. 따라서 $\tan\dfrac{\theta}{2} = \dfrac{1}{\sqrt{a^2 + 1}}$이고,

$$\tan\theta = \frac{2\tan\dfrac{\theta}{2}}{1 - \tan^2\dfrac{\theta}{2}} = \frac{2\sqrt{a^2 + 1}}{a^2}$$ 을 얻는다.

(1-3) $\tan\theta > 0$이므로 $0 < \theta < \dfrac{\pi}{2}$이고 $\cos\theta > 0$이다. 그림과 같이 $\tan\theta = \dfrac{2\sqrt{a^2 + 1}}{a^2}$인 직각삼각형을 생각하면 빗변의 길이가 $\sqrt{a^4 + 4a^2 + 4} = a^2 + 2$이므로 $\cos\theta = \dfrac{a^2}{a^2 + 2}$이다.

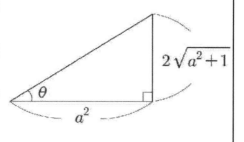

그림을 그리지 않고 $\dfrac{(a^2+2)^2}{a^4}=1+\tan^2\theta=\sec^2\theta=\dfrac{1}{\cos^2\theta}$ 임을 이용하여 $\cos\theta=\dfrac{a^2}{a^2+2}$ 을 구할 수도 있다. 그러므로 다음을 얻는다.

$$\lim_{a\to0+}\frac{\cos\theta}{a^2}=\lim_{a\to0+}\frac{1}{a^2+2}=\frac{1}{2}$$

[다른 풀이] 1-2의 다른 풀이와 같은 방법으로 $\cos\dfrac{\theta}{2}=\dfrac{\sqrt{a^2+1}}{\sqrt{a^2+2}}$, $\sin\dfrac{\theta}{2}=\dfrac{1}{\sqrt{a^2+2}}$,

$\cos\theta=\cos^2\dfrac{\theta}{2}-\sin^2\dfrac{\theta}{2}=\dfrac{a^2}{a^2+2}$ 을 얻고 $\lim\limits_{a\to0+}\dfrac{\cos\theta}{a^2}=\dfrac{1}{2}$ 을 얻는다.

(2-1) $x<0$일 때 $f(x)=x+k$를 주어진 식에 대입하면 다음 항등식을 얻는다.

$$x+k=f(x)=\int_0^x\sqrt{k-2}\,dt+x+2=(\sqrt{k-2}+1)x+2\ \ (x<0)$$

이 식을 만족시키는 상수 k를 구하면 $k=2$이다.

[다른 풀이 1] 조건 (가)의 식 $f(x)=\int_0^x\sqrt{f(t)-t-2}\,dt+x+2$에서 $\sqrt{f(t)-t-2}$가 계산되려면 다음이 성립해야 함을 알 수 있다.

임의의 실수 x에 대하여 $f(x)\ge x+2$이다.　　…… **(1)**

또한 $x<0$일 때 $\int_0^x\sqrt{f(t)-t-2}\,dt\le0$이므로 다음을 얻는다.

$$f(x)=\int_0^x\sqrt{f(t)-t-2}\,dt+x+2\le x+2\,(x<0)\ \ \cdots\!\cdots\ \textbf{(2)}$$

(1), **(2)**로 부터 $x<0$일 때 $f(x)=x+2$이다. 따라서 $k=2$이다.

[다른 풀이 2] 조건 (가)를 이용하면 임의의 실수 x에 대하여 $f'(x)=\sqrt{f(x)-x-2}+1$ 이다. 그런데 $x<0$에서 $f'(x)=1$이므로 $0=\sqrt{x+k-x-2}=\sqrt{k-2}$이다. 따라서 $k=2$이다.

(2-2) 조건 (가)를 이용하면 임의의 실수 x에 대하여

$$\begin{aligned}f'(x)&=\sqrt{f(x)-x-2}+1\ \ \cdots\!\cdots\ \textbf{(3)}\\ f'(x)-1&=\sqrt{f(x)-x-2}\end{aligned}$$

이고, 조건 (나)에 의해 모든 실수 $x>2$에 대하여, $f(x)>x+2$이므로

$$\frac{f'(x)-1}{\sqrt{f(x)-x-2}}=1\,(x>2)$$

이다. $t=f(x)-x-2$라 두고 치환적분법을 이용하여 계산하면

$$\int\frac{f'(x)-1}{\sqrt{f(x)-x-2}}\,dx=\int\frac{dt}{\sqrt{t}}=2\sqrt{t}=2\sqrt{f(x)-x-2}=x+C(x>2)$$

이다. $f(4)=7$임을 이용하면 $C=-2$이고, 양변을 제곱하여 계산하면

$$f(x) = \frac{1}{4}(x-2)^2 + x + 2 = \frac{1}{4}x^2 + 3 \, (x > 2)$$

이다.

(2−3) (2−1), (2−2)의 계산 결과와 함수 f의 연속성에 의해

$$f(x) = \begin{cases} x+2 & (x \leq 0) \\ \dfrac{1}{4}x^2 + 3 & (x \geq 2) \end{cases}$$

이므로 $f(0) = 2$이고 $f(2) = 4$이다.

또한 식 (3)으로부터 임의의 실수 x에 대하여 $f'(x) \geq 1$이다. $\cdots$(4)

만일 $0 < x_0 < 2$이고 $f(x_0) > x_0 + 2$인 x_0이 존재하면 평균값 정리에 의해

$$f'(c) = \frac{f(2) - f(x_0)}{2 - x_0} = \frac{4 - f(x_0)}{2 - x_0}$$

인 c가 x_0과 2사이에 존재하게 되는데

$$\frac{4 - f(x_0)}{2 - x_0} < \frac{4 - (x_0 + 2)}{2 - x_0} = \frac{2 - x_0}{2 - x_0} = 1$$

이므로 $f'(c) < 1$이어야 한다. 이는 식 (4)에 모순이다. 그러므로 $0 < x < 2$일 때 $f(x) \leq x + 2$이다. 따라서 식 (1)에 의해 $f(x) = x + 2 \, (0 < x < 2)$이다.

결국

$$f(x) = \begin{cases} x+2 & (x \leq 2) \\ \dfrac{1}{4}x^2 + 3 & (x \geq 2) \end{cases}$$

이고 $f(x)$는 문제의 모든 조건을 만족시킨다. 그러므로 $f(1) = 3$이다.

[다른 풀이] 2−1, 2−2의 계산 결과와 함수 f의 연속성을 이용하면

$$f(x) = \begin{cases} x+2 & (x \leq 2) \\ \dfrac{1}{4}x^2 + 3 & (x \geq 2) \end{cases}$$

이므로 $f(0) = 2$이고 $f(2) = 4$이다. $g(x) = f(x) - x - 2$라 두면 $g'(x) = \sqrt{f(x) - x - 2} \geq 0$ 이므로 $g(x)$는 감소하지 않는다. 그런데 $g(0) = g(2) = 0$이므로 $0 < x < 2$일 때 $g(x) = 0$, 즉 $f(x) = x + 2 \, (0 < x < 2)$이다. 이후의 풀이는 앞에서와 같다.

(3−1)

$$\int_{-1}^{0} f(x)dx = \int_{-1}^{0}\left(1 + \frac{\pi}{2}\cos\frac{\pi}{2}x\right)dx = \left[x + \sin\frac{\pi}{2}x\right]_{-1}^{0} = 2$$

이다. 따라서 $g(-1) = 0$이다.

(3−2) 고정된 실수 t에 대하여 $h(u)=\displaystyle\int_t^u f(x)dx$라 정의하면

    (i) $h(t)=\displaystyle\int_t^t f(x)dx=0$이고

    (ii) $|x|>1$일 때, $2x^4 \geq x^2+1$이므로 $f(x)\geq 1$이다.

    $|x|\leq 1$일 때 $\dfrac{\pi}{2}\cos\dfrac{\pi}{2}x \geq 0$이므로 $f(x)\geq 1$이다.

따라서 $h(t+2)=\displaystyle\int_t^{t+2} f(x)dx \geq \int_t^{t+2} 1\,dx=2$이다. 함수 $h(u)$는 구간 $[t,\ t+2]$에서 연속이므로 사잇값 정리에 의해 $h(c)=\displaystyle\int_t^c f(x)dx=2$를 만족시키는 c가 구간 $[t,\ t+2]$에 존재한다. 즉, $t\leq g(t)\leq t+2$이다.

(3−3) 3−2에 의해 $t>0$일 때 $1\leq \dfrac{g(t)}{t}\leq 1+\dfrac{2}{t}$가 성립한다. $t\rightarrow\infty$일 때의 극한을 생각하면 수열의 극한의 대소 관계에 의해 $\displaystyle\lim_{t\to\infty}\dfrac{g(t)}{t}=1$을 얻는다. $\displaystyle\int_t^{g(t)} f(x)dx=2$이므로 $t>1$일 때 양변을 미분하면

$$g'(t)\dfrac{2\{g(t)\}^4}{1+\{g(t)\}^2}-\dfrac{2t^4}{1+t^2}=0$$

이 된다. 이것을 $g'(t)$에 대하여 풀면

$$g'(t)=\left\{\dfrac{t}{g(t)}\right\}^4 \dfrac{1+\{g(t)\}^2}{1+t^2}=\left\{\dfrac{1}{\frac{g(t)}{t}}\right\}^4 \dfrac{\dfrac{1}{t^2}+\left\{\dfrac{g(t)}{t}\right\}^2}{\dfrac{1}{t^2}+1}$$

이다. 따라서 위의 결과를 이용하여 $t\rightarrow\infty$일 때의 극한을 계산하면 다음을 얻는다.

$$\lim_{t\to\infty} g'(t)=1$$

11. 2021학년도 세종대 수시 논술 (A형)

[문제 1] 실수 전체의 집합에서 정의된 함수 $y=f(x)$의 이계도함수는 연속함수이고, 아래 조건을 모두 만족한다. 다음 물음에 각각 답하시오.

< 조건 >

(가) $f(0)=1$

(나) $x>0$인 모든 실수 x에 대하여 $f'(x)>0$이다.

(다) $0\leq x\leq t$에서 곡선 $y=f(x)$의 길이를 $\ell(t)$라 할 때,

    모든 양의 실수 t에 대하여 $\ell(t)=\displaystyle\int_0^t f(x)dx$가 성립한다.

(1-1) $f'(0)$을 구하시오. (70점)

(1-2) $g(x)=f(x)+f'(x)$라 할 때, $x>0$에 대하여 $g(x)$를 구하시오. (80점)

(1-3) $x>0$에 대하여 $f(x)$를 구하시오. (80점)

[문제 2] 함수 $f(x)=\begin{cases} x-\ln x, & x>1 \\ x, & x\leq 1 \end{cases}$에 대하여, $x(1)=e$이고 이계도함수가 연속인 함수 $x(t)$는 모든 실수 $t>\dfrac{1}{e-1}$에 대하여 $f(x(t))=(e-1)t-\ln t$를 만족한다. 다음 물음에 각각 답하시오.

(2-1) $t>\dfrac{1}{e-1}$인 모든 t에 대하여 $x(t)>1$임을 보이시오. (80점)

(2-2) $x'(1)$, $x''(1)$의 값을 각각 구하시오. (80점)

(2-3) $t>\dfrac{1}{e-1}$인 모든 t에 대하여 $x''(t)>0$임을 보이시오. (80점)

[문제 1]

(1-1) $\displaystyle\int_0^t \sqrt{1+f'(x)^2}\,dx=\int_0^t f(x)dx$가 성립하므로 미분하면 모든 실수 $t\geq 0$에 대하여 $\sqrt{1+f'(t)^2}=f(t)$가 성립한다. 따라서 $t=0$을 대입하면 $f'(0)=0$이다.

(1-2) $\sqrt{1+f'(t)^2}=f(t)$에서 $1+f'(t)^2=f(t)^2$이다.

미분하면 $2f'(t)f''(t)=2f(t)f'(t)$이고 $f'(t)>0$이므로 $f''(t)=f(t)$이다.

그러므로 $g'(x)=f'(x)+f''(x)=f'(x)+f(x)=g(x)$이다.

조건 **(나)**에 의해 $g(x)>0$이므로 $\dfrac{g'(x)}{g(x)}=1$이고, 양변을 적분하면 $\ln g(x)=x+c$이다.

조건 **(가)**와 **(2-1)**의 결과로부터 $g(0)=f(0)+f'(0)=1$이므로 $c=0$이다. 그러므로 $g(x)=e^x$이다.

(1-3)
$$1=f(x)^2-f'(x)^2=(f(x)+f'(x))(f(x)-f'(x))$$
이므로 $f(x)-f'(x)=\dfrac{1}{g(x)}=e^{-x}$이다. 한편, **(2-2)**에 의해 $g(x)=f(x)+f'(x)=e^x$이므로 앞의 식과 연립하여 풀면 $f(x)=\dfrac{1}{2}\left(e^x+e^{-x}\right)$이다.

[1-3 별해 1] $g(x)=f(x)+f'(x)=e^x$이므로 $f'(x)=e^x-f(x)$이다.

따라서 $1=f(x)^2-f'(x)^2=f(x)^2-\left(e^x-f(x)\right)^2=-e^{2x}+2e^xf(x)$이다.

그러므로 $2e^xf(x)=e^{2x}+1$이고 $f(x)=\dfrac{1}{2}\left(e^x+e^{-x}\right)$이다.

[1-3 별해 2] $h(x)=f(x)-f'(x)$라 할 때, $h'(x)=-f(x)+f'(x)=-h(x)$이므로

$h(x)=e^{-x}$가 됨을 (2-2)와 같은 과정을 통해 보이고, $f(x)=\dfrac{g(x)+h(x)}{2}=\dfrac{e^x+e^{-x}}{2}$와

같이 구할 수도 있다.

[1-3 별해 3]

$g(x)=f(x)+f'(x)=e^x$의 양변에 e^x를 곱하면 $e^x(f(x)+f'(x))=e^{2x}$를 얻는다.

이 식을 적분하면 $e^x f(x)=\dfrac{1}{2}e^{2x}+C$를 얻는다. $x=0$을 대입하면 $f(0)=\dfrac{1}{2}+C=1$이므로

$C=\dfrac{1}{2}$이다. 따라서 $e^x f(x)=\dfrac{1}{2}e^{2x}+\dfrac{1}{2}$이고 $f(x)=\dfrac{1}{2}(e^x+e^{-x})$이다.

[문제 2]

(2-1) $g(t)=(e-1)t-\ln t$라 할 때, $g'(t)=e-1-\dfrac{1}{t}$이므로 $g(t)$는 $t=\dfrac{1}{e-1}$일 때 최솟

값 $1+\ln(e-1)(>1)$을 갖는다. 따라서 $f(x(t))>1$이고 $x\le 1$에서 $f(x)\le 1$이므로

$x(t)>1$이다.

(2-2) 3-1에 의해 주어진 조건식은 아래 식 **(1)**과 같다.

$$(e-1)t-\ln t=x(t)-\ln x(t)\cdots\cdots\text{ (1)}$$

식 **(1)**을 미분하면

$$(e-1)-\frac{1}{t}=x'(t)-\frac{x'(t)}{x(t)}$$

이고,

$t=1$을 대입하면 $x'(1)=\dfrac{e^2-2e}{e-1}$이다.

식 **(1)**을 두 번 미분하면

$$\frac{1}{t^2}=x''(t)-\frac{x''(t)x(t)-x'(t)^2}{x(t)^2}$$

이고, $t=1$을 대입하면 $x''(1)=\dfrac{2e^2-3e}{(e-1)^3}$이다.

(2-3)

(단계 1) (2-2)에서 구한 식

$$e-1-\frac{1}{t}=x'(t)-\frac{x'(t)}{x(t)}=x'(t)\left(1-\frac{1}{x(t)}\right)$$

에서 $t>\dfrac{1}{e-1}$이면 $x'(t)>0$이다.

(단계 2) $f(x(t)) = (e-1)t - \ln t$를 한 번 미분한 식과 두 번 미분한 식을 정리하면 각각 다음과 같다.

$$(e-1) - \frac{1}{t} = x'(t) - \frac{x'(t)}{x(t)} \quad \cdots\cdots \quad \text{(1)}$$

$$\frac{1}{t^2} = x''(t) - \frac{x''(t)x(t) - x'(t)^2}{x(t)^2} \quad \cdots\cdots \quad \text{(2)}$$

$a > \dfrac{1}{e-1}$인 a에 대하여 $x''(a) = 0$이면, 식 (2)에서 $\dfrac{1}{a^2} = \left(\dfrac{x'(a)}{x(a)}\right)^2$이고,

$x(a),\ x'(a) > 0$이므로 $\dfrac{1}{a} = \dfrac{x'(a)}{x(a)}$이다. 또한 식 (1)에서 $x'(a) = e-1$이고, 따라서 $x(a) = (e-1)a$이다.

이때, $(e-1)t - \ln t = x(t) - \ln x(t)$로부터,

$$(e-1)a - \ln a = x(a) - \ln x(a) = (e-1)a - \ln(e-1)a$$

이므로 $a = (e-1)a$가 성립되어 모순이다. 따라서 $t > \dfrac{1}{e-1}$인 t에 대하여 $x''(t) \neq 0$이 성립한다.

(단계 3) (2-2)의 결과로부터 $x''(1) = \dfrac{2e^2 - 3e}{(e-1)^3} > 0$이다.

(단계 4) $a > \dfrac{1}{e-1}$인 a에 대하여 $x''(a) < 0$인 점이 존재하면 (단계 3)과 사잇값 정리에 의하여 $x''(b) = 0$인 b가 존재하지만 (단계 2)에 모순이다. 따라서 $t > \dfrac{1}{e-1}$인 t에 대하여 $x''(t) > 0$이 성립한다.

[2-3 별해 1] $a > \dfrac{1}{e-1}$인 어떤 a에 대하여 $x''(a) \leq 0$가 성립한다고 가정하고 모순이 생김을 보이자. $g(t) = (e-1)t - \ln t$에 대하여 $f(x(t)) = g(t)$이므로 $f'(x(t))x'(t) = g'(t)$와

$$f''(x(t))(x'(t))^2 + f'(x(t))x''(t) = g''(t)$$

가 성립하므로

$$x''(t) = \frac{g''(t)f'(x(t)) - g'(t)f''(x(t))x'(t)}{f'(x(t))^2}$$

이다. 이로부터 $x''(a) \leq 0$이면 $g''(a)(f'(x(a)))^2 \leq (g'(a))^2 f''(x(a))$를 얻는다.

위 부등식을 계산하여 정리하면 $x(a) > 1$이므로 $x(a) - 1 \leq a(e-1) - 1$, 즉 $x(a) \leq (e-1)a$를 얻는다. $(e-1)t - \ln t = x(t) - \ln x(t)$로부터, $(e-1)a - \ln a = x(a) - \ln x(a) \leq (e-1)a - \ln x(a)$이므로 $a \geq x(a) = f^{-1}(g(a))$이고 $a - \ln a = f(a) \geq g(a) = (e-1)a - \ln a$이다. 따라서 $a \geq (e-1)a$가 성립하여 모순이 생긴다.

따라서 $t > \dfrac{1}{e-1}$인 t에 대하여 $x''(t) > 0$이 성립한다.

12. 2021학년도 세종대 수시 논술 (B형)

[문제 1] 실수 전체의 집합에서 미분가능한 함수 $f(x)$는 아래 조건을 만족한다.

< 조건 >

(가) $f(0)=1$

(나) $0 \leq x \leq t$에서 곡선 $y=f(x)$의 길이는 $f(t)-2e^{-t}+1$이다.

다음 물음에 각각 답하시오.

(1-1) 함수 $f(x)$를 구하시오. (70점)

(1-2) 함수 $f(x)$는 $x=a$에서 최솟값 b를 갖는다. 곡선 $y=f(x)$위의 점 $(0, 1)$에서의 접선 ℓ과 직선 $y=b$, 곡선 $y=f(x)$로 둘러싸인 영역의 넓이를 구하시오. (80점)

(1-3) x축 위를 움직이는 어떤 점의 시각 t에서의 위치가 $x(t)=-t^2+4t+1$이다. $x(t)$가 최댓값을 갖게 되는 x축 위의 점을 A라 하자. 점 A를 지나는 임의의 직선 ℓ에 대하여 점 $(0, 1)$에서 직선 ℓ까지의 거리를 $\text{d}(\ell)$이라 할 때, $\text{d}(\ell)$이 최대가 되는 직선 ℓ의 방정식을 구하시오. (80점)

[문제 2] 실수 전체의 집합에서 정의된 함수 $f(x)$에 대하여 집합 A_f를 다음과 같이 정의하자.

$$A_f = \{m \in \mathbb{R} \mid \text{모든 실수 } x \text{에 대하여 } f(x) \geq f(0) + mx \text{가 성립한다.}\}$$

예를 들어, $f(x) = |x|$에 대하여 집합 A_f는 $A_f = \{m \mid -1 \leq m \leq 1\}$이다.

다음 물음에 각각 답하시오.

(2-1) $f(x) = x^3$에 대하여 A_f는 공집합이 됨을 보이시오. (80점)

(2-2) 함수 $f(x)$의 이계도함수 $f''(x)$가 모든 실수 x에 대하여 $f''(x) \geq 0$을 만족하면, $f'(0) \in A_f$가 성립함을 보이시오. (단, 그림을 이용한 직관적인 설명은 허용하지 않습니다.) (80점)

(2-3) 함수 $f(x)$의 이계도함수 $f''(x)$가 모든 실수 x에 대하여 $f''(x) \geq 0$을 만족하면, 실제로 $A_f = \{f'(0)\}$가 됨을 보이시오. (단, 그림을 이용한 직관적인 설명은 허용하지 않습니다.) (80점)

(1-1) $\int_0^x \sqrt{1 + (f'(t))^2}\, dt = f(x) - 2e^{-x} + 1$이다. 양변을 x에 대해 미분하면

$\sqrt{1 + (f'(x))^2} = f'(x) + 2e^{-x}$이고 양변을 제곱하여 정리하면 $f'(x) = \dfrac{1}{4}e^x - e^{-x}$이다. 양변을 x에 대해 적분하면 $f(x) = \dfrac{1}{4}e^x + e^{-x} + c$이다. $f(0) = 1$이므로, $c = -\dfrac{1}{4}$이 되어서, 함수 $f(x)$는 다음과 같다. $f(x) = \dfrac{1}{4}e^x + e^{-x} - \dfrac{1}{4}$

(1-2) $f'(x) = \dfrac{1}{4}e^x - e^{-x}$이므로, $x = \ln 2$일 때만 $f'(x) = 0$이다.

$f''(x) = \dfrac{1}{4}e^x + e^{-x}$이므로, 모든 실수 x에 대해 $f''(x) > 0$이다. 따라서 $f(x)$의 최솟값은

$f(\ln 2) = \dfrac{3}{4}$이고, $a = \ln 2$, $b = \dfrac{3}{4}$이다.

$f'(x) = \dfrac{1}{4}e^x - e^{-x}$로부터, $f'(0) = -\dfrac{3}{4}$이다. 따라서, 점 $(0, 1)$에서의 접선 ℓ의 방정식은

$y - 1 = f'(0)(x - 0)$으로부터 $y = -\dfrac{3}{4}x + 1$이다.

직선 $y = b$와 접선 ℓ의 교점의 x좌표는 $-\dfrac{3}{4}x + 1 = \dfrac{3}{4}$로부터 $x = \dfrac{1}{3}$이다.

따라서 영역의 넓이는 다음과 같다.

$$\int_0^{\frac{1}{3}} \left(\frac{1}{4}e^x + e^{-x} + \frac{3}{4}x - \frac{5}{4} \right) dx + \int_{\frac{1}{3}}^{\ln 2} \left(\frac{1}{4}e^x + e^{-x} - 1 \right) dx = \frac{17}{24} - \ln 2$$

[1−2 별해] (1−2)의 풀이에서 영역의 넓이를 구할 때, 도형의 넓이를 이용하여 $\dfrac{17}{24}-\ln2$를 구할 수도 있다.

(1−3) $-t^2+4t+1=-(t-2)^2+5$이므로 A$=(5,\ 0)$이다.

d(ℓ)이 최대가 되는 직선 ℓ은 두 점 $(0,\ 1)$과 A를 지나는 직선에 수직이다.

따라서 ℓ의 기울기는 5이고 구하는 직선의 방정식은 $y=5(x-5)$이다.

(2−1) 모든 실수 x에 대하여 $x^3\geq mx$를 만족시키는 실수 m이 존재하지 않음을 보이면 된다. m의 조건에 따라 부등식 $x^3-mx=x(x^2-m)\geq0$을 풀면,

(i) $m\leq0$일 때 해집합은 $\{x|x\geq0\}$

(ii) $m>0$일 때 해집합은 $\left\{x|-\sqrt{m}\leq x\leq0 \text{ 또는 } x\geq\sqrt{m}\right\}$

이므로 모든 실수 x에 대해 $x^3\geq mx$를 만족시키는 실수 m은 존재하지 않는다.

따라서 $A_f=\varnothing$이다.

[2−1 별해 1] $m>0$, $m=0$, $m<0$인 경우를 나누어 $g(x)=x^3-mx$의 그래프의 개형을 그리면,

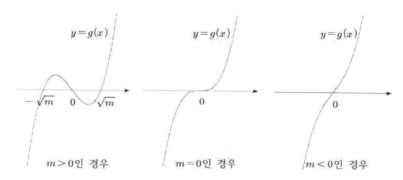

이므로, 모든 실수 x에 대하여 $x^3\geq mx$를 만족시키는 실수 m은 존재하지 않는다.

[2−1 별해 2] 모든 실수 x에 대하여 $x^3\geq mx$를 만족시키는 실수 m이 존재하면 모순임을 보이자. 모든 실수 x에 대하여 부등식이 성립한다면 $x=1$일 때 $m\leq1$이 성립하고, $x=-1$일 때 $m\geq1$이 성립하므로 $m=1$이어야 한다. 이때 부등식 $x^3\geq x$의 해집합은 $\{x|-1\leq x\leq0 \text{ 또는 } x\geq1\}$이므로 모든 실수 x에 대해 부등식이 성립한다는 가정에 모순이다.

(2−2) $g(x)=f(x)-f(0)-f'(0)x$라 할 때, $g(x)$의 최솟값이 0보다 크거나 같음을 보이면 된다. $g'(x)=f'(x)-f'(0)$의 도함수에 대해 $g''(x)=f''(x)\geq0$가 성립하므로 $g'(x)$는 실수 전체의 집합에서 증가함수이다.

즉 $g'(x)$는 $g'(0)=0$인 증가함수이므로 $x<0$에 대하여 $g'(x)\leq0$이 성립하고, $x>0$에 대하여 $g'(x)\geq0$이 성립한다. 따라서 함수 $g(x)$는 $x=0$에서 최솟값 $g(0)=0$을 갖는다.

즉, 모든 실수 x에 대하여 $f(x)-f(0)-f'(0)x \geq 0$이 성립하므로 $f'(0) \in A_f$이다.

[2−2 별해 1] $x=0$일 때 $f(x)-f(0)-f'(0)x=0$이 성립한다.

$x \neq 0$일 때 평균값 정리를 반복하여 적용하면,

$$f(x)-f(0)-f'(0)x = f'(t_1)x - f'(0)x = (f'(t_1)-f'(0))x = f''(t_2)t_1 x$$

를 만족시키는 실수 t_1, t_2가 존재한다.

(단, (i) $x>0$일 때 $0<t_2<t_1<x$, **(ii)** $x<0$일 때 $x<t_1<t_2<0$)

이때, 이계도함수에 대한 조건으로부터 $f''(t_2) \geq 0$이므로 모든 실수 x에 대하여 $f(x)-f(0)-f'(0)x \geq 0$이 성립하고, $f'(0) \in A_f$이다.

[2−2 별해 2] $x=0$일 때 $f(x)-f(0)-f'(0)x=0$이 성립한다. $x \neq 0$일 때 평균값 정리를 적용하면

$$f(x)-f(0)-f'(0)x = f'(t_1)x - f'(0)x = (f'(t_1)-f'(0))x$$

를 만족시키는 실수 t_1이 존재한다.

(단, (i) $x>0$일 때 $0<t_1<x$, **(ii)** $x<0$일 때 $x<t_1<0$)

한편, 이계도함수에 대한 조건으로부터 $f'(x)$는 실수 전체의 집합에서 증가함수이다.

$x>0$일 때 **(식 1)**에서 $f'(t_1)-f'(0) \geq 0$, $x>0$이 되어 $f(x)-f(0)-f'(0)x \geq 0$이 성립하고,

$x<0$일 때 **(식 1)**에서 $f'(t_1)-f'(0) \leq 0$, $x<0$이 되어 $f(x)-f(0)-f'(0)x \geq 0$이 성립한다.

따라서 모든 실수 x에 대하여 $f(x)-f(0)-f'(0)x \geq 0$이 성립하므로 $f'(0) \in A_f$이다.

(2−3) (2−2)에 의해 $m \in A_f$이면 $m=f'(0)$임을 보이면 된다.

$m \in A_f$라 하면, 모든 실수 x에 대하여 $f(x) \geq f(0)+mx$이므로

(i) $x>0$일 때, $\dfrac{f(x)-f(0)}{x} \geq m$로부터 $f'(0) = \lim\limits_{x \to 0+} \dfrac{f(x)-f(0)}{x} \geq m$이 성립하고

(ii) $x<0$일 때, $\dfrac{f(x)-f(0)}{x} \leq m$로부터 $f'(0) = \lim\limits_{x \to 0-} \dfrac{f(x)-f(0)}{x} \leq m$이 성립한다.

따라서 $m \in A_f$인 임의의 m에 대해 $m=f'(0)$이 성립하므로 $A_f = \{f'(0)\}$이다.

13. 2021학년도 세종대 수시 논술 (C형)

[문제 1] 실수 전체의 집합에서 정의된 세 함수

$$f(x)=\begin{cases} x-\dfrac{1}{2}, & x \geq \dfrac{3}{2} \\ 2x-2, & 1<x \leq \dfrac{3}{2} \\ -x+1, & x \leq 1 \end{cases} \qquad g(x)=\begin{cases}(x-1)^2, & x \geq 1 \\ -x+1, & x<1\end{cases}, \qquad h(x)=\begin{cases} x+e^x-e, & x \geq 1 \\ ex+1-e, & x<1\end{cases}$$

에 대하여, 다음 물음에 각각 답하시오.

(1-1) 함수 $y=h(x)$가 역함수를 가짐을 보이시오. (70점)

(1-2) 집합

$$A=\{a\in\mathbb{R}|(g\circ f)(x)는\ x=a에서\ 미분\ 가능하지\ 않다.\}$$

를 구하시오. (80점)

(1-3) 함수 $(h^{-1}\circ f)(x)$가 $x=\dfrac{3}{2}$에서 미분 가능하지 않음을 보이시오. (80점)

[문제 2] 실수 전체의 집합에서 정의된 두 함수 $f(x)=\dfrac{1}{1+e^{-x}}$, $g(x)=\sin^2(\pi x)$에 대하여 수열 $\{a_n\}$을

$$a_n=\int_0^1 f(x)g(nx)dx,\quad (n=1,\ 2,\ \cdots)$$

로 정의할 때, 다음 물음에 각각 답하시오.

(2-1) $\displaystyle\int_0^1 g(x)dx$의 값을 구하시오. (80점)

(2-2) 모든 자연수 n에 대하여 다음 부등식이 성립함을 보이시오. (80점)

$$a_n\leq\frac{1}{2n}\sum_{k=1}^n f\left(\frac{k}{n}\right)$$

(2-3) $\displaystyle\lim_{n\to\infty}\frac{1}{n}\sum_{k=1}^n f\left(\frac{k}{n}\right)=\lim_{n\to\infty}\frac{1}{n}\sum_{k=1}^n f\left(\frac{k-1}{n}\right)$이 성립함을 이용하여 극한 $\displaystyle\lim_{n\to\infty}a_n$의 값을 구하시오. (80점)

(1-1)

$h'(x)=\begin{cases}1+e^x, & x>1\\ e, & x<1\end{cases}$ 이고 $h(x)$가 $x=1$에서 연속이므로 $h(x)$는 실수 전체의 집합에서 증가함수이다. 따라서 역함수를 가진다.

(1-2)

$$(g\circ f)(x)=g(f(x))=\begin{cases}\left(x-\dfrac{3}{2}\right)^2 & ,\ x\geq\dfrac{3}{2}\\ -2x+3 & ,\ 1<x\leq\dfrac{3}{2}\\ x & ,\ 0<x\leq 1\\ x^2 & ,\ x\leq 0\end{cases}$$

에서, $x=0,\ 1,\ \dfrac{3}{2}$을 제외한 구간에서는 각각 다항함수이므로 미분가능하다. $x=a$에서의 미분계수는 접선의 기울기와 같으므로,

（ⅰ) $x=\dfrac{3}{2}$에서 $(g\circ f)(x)\left(x>\dfrac{3}{2}\right)$의 접선의 기울기는 0이고 $(g\circ f)(x)\left(x<\dfrac{3}{2}\right)$의 접선의 기울기는 -2이므로 $x=\dfrac{3}{2}$에서 미분 가능하지 않다.

(ⅱ) $x=1$에서 $(g \circ f)(x)(x>1)$의 접선의 기울기는 -2이고 $(g \circ f)(x)(x<1)$의 접선의 기울기는 1이므로 $x=\dfrac{3}{2}$에서 미분 가능하지 않다.

(ⅲ) $x=0$에서 $(g \circ f)(x)(x>0)$의 접선의 기울기는 1이고 $(g \circ f)(x)(x<0)$의 접선의 기울기는 0이므로 $x=\dfrac{3}{2}$에서 미분 가능하지 않다.

따라서 $A=\left\{0,\ 1,\ \dfrac{3}{2}\right\}$이다.

[1-2 별해] (합성함수를 구하지 않고)

$f(x)$가 미분 불가능한 점은 $x=1,\ \dfrac{3}{2}$이고, $g(x)$가 미분 불가능한 점은 $x=1$뿐이다.

한편 $f(x)=1$이 되는 점은 $x=0,\ \dfrac{3}{2}$이므로 $(g \circ f)(x)$는 $x=0,\ 1,\ \dfrac{3}{2}$을 제외한 점에서는 미분가능하다.

$x=0$일 때,

$$\lim_{t \to 0+} \frac{g(f(t))-g(f(0))}{t} = \lim_{t \to 0+} \frac{g(-t+1)-g(1)}{t} = \lim_{t \to 0+} \frac{t}{t}=1$$

$$\lim_{t \to 0-} \frac{g(f(t))-g(f(0))}{t} = \lim_{t \to 0-} \frac{g(-t+1)-g(1)}{t} = \lim_{t \to 0+} \frac{t^2}{t}=0$$

이므로 $(g \circ f)(x)$는 $x=0$에서 미분 불가능하다.

$x=1$일 때,

$$\lim_{t \to 0+} \frac{g(f(1+t))-g(f(1))}{t} = \lim_{t \to 0+} \frac{g(2t)-g(0)}{t} = \lim_{t \to 0+} \frac{-2t}{t}=-2$$

$$\lim_{t \to 0-} \frac{g(f(1+t))-g(f(0))}{t} = \lim_{t \to 0-} \frac{g(-t)-g(1)}{t} = \lim_{t \to 0+} \frac{t}{t}=1$$

이므로 $(g \circ f)(x)$는 $x=1$에서 미분 불가능하다.

$x=\dfrac{3}{2}$일 때,

$$\lim_{t \to 0+} \frac{g\left(f\left(\frac{3}{2}+t\right)\right)-g\left(f\left(\frac{3}{2}\right)\right)}{t} = \lim_{t \to 0+} \frac{g(t+1)-g(1)}{t} = \lim_{t \to 0+} \frac{t^2}{t}=0$$

$$\lim_{t \to 0-} \frac{g\left(f\left(\frac{3}{2}+t\right)\right)-g\left(f\left(\frac{3}{2}\right)\right)}{t} = \lim_{t \to 0-} \frac{g(2t+1)-g(1)}{t} = \lim_{t \to 0+} \frac{-2t}{t}=-2$$

이므로 $(g \circ f)(x)$는 $x=\dfrac{3}{2}$에서 미분 불가능하다.

(1-3)

$$\lim_{t \to 0+} \frac{h^{-1}(f(3/2+t)) - h^{-1}(f(3/2))}{t}$$

$$= \lim_{t \to 0+} \frac{h^{-1}(1+t) - h^{-1}(1)}{t} = \lim_{x \to 1+} \frac{x-1}{h(x)-1} = \lim_{x \to 1+} \frac{x-1}{x+e^x-e-1} = \lim_{x \to 1+} \frac{1}{1 + \dfrac{e^x - e}{x-1}}$$

$$= \frac{1}{1+e}$$

(두 번째 등식에서 $h^{-1}(t+1) = x$이용)

$$\lim_{t \to 0-} \frac{h^{-1}(f(3/2+t)) - h^{-1}(f(3/2))}{t} = \lim_{t \to 0-} \frac{h^{-1}(2t+1) - h^{-1}(1)}{t}$$

$$= \lim_{t \to 0-} \frac{\dfrac{1}{e}(2t+1) + 1 - \dfrac{1}{e} - 1}{t} = \frac{2}{e}$$

따라서 $\displaystyle\lim_{t \to 0-} \frac{h^{-1}(f(3/2+t)) - h^{-1}(f(3/2))}{t} \neq \lim_{t \to 0+} \frac{h^{-1}(f(3/2+t)) - h^{-1}(f(3/2))}{t}$

이므로 $x = \dfrac{3}{2}$**에서 미분불가능이다.**

(이 경우에도 $h^{-1}(2t+1) = x$로 치환하여 계산하는 것도 가능함.)

(2-1)

$\cos(\alpha + \beta) = \cos\alpha\cos\beta + \sin\alpha\sin\beta$**이므로** $\cos(2\alpha) = \cos^2\alpha - \sin^2\alpha = 1 - 2\sin^2\alpha$**가**

성립한다. 따라서 $\sin^2\alpha = \dfrac{1 - \cos(2\alpha)}{2}$**임을 이용하여 적분 식을 변형하면 다음과 같이 구**

할 수 있다.

$$\int_0^1 \sin^2(\pi x)dx = \frac{1}{2}\int_0^1 (1 - \cos(2\pi x))dx = \frac{1}{2}\left[x - \frac{\sin(2\pi x)}{2\pi}\right]_0^1 = \frac{1}{2}$$

[2-1 별해] $\sin^2\pi x + \cos^2\pi x = 1$**이고,** $\sin^2\pi x$**와** $\cos^2\pi x$**의 그래프의 대칭성과 주기성을**

이용하면 $\displaystyle\int_0^1 \sin^2\pi x dx = \int_0^1 \cos^2\pi x dx$**이므로 다음과 같이 적분값을 구할 수 있다.**

$$\int_0^1 \sin^2\pi x dx = \frac{1}{2}\left(\int_0^1 \sin^2\pi x dx + \int_0^1 \cos^2\pi x dx\right) = \frac{1}{2}\int_0^1 (\sin^2\pi x + \cos^2\pi x)dx = \frac{1}{2}$$

(2-2)

$f'(x) = \dfrac{e^{-x}}{\left(1 + e^{-x}\right)^2} \geq 0$**이므로** $f(x)$**는 실수 전체의 집합에서 증가함수이다.**

치환적분과 적분의 성질 $\int_a^b f(x)dx + \int_b^c f(x)dx = \int_a^c f(x)dx$를 이용하면 아래 식(*)가 성립한다.

$$a_n = \int_0^1 f(x)g(nx)dx = \frac{1}{n}\int_0^n f\left(\frac{t}{n}\right)g(t)dt = \frac{1}{n}\sum_{k=1}^{n}\int_{k-1}^{k} f\left(\frac{t}{n}\right)g(t)dt \cdots\cdots(*)$$

일반적으로 함수 $h(x)$가 $a \le x \le b$에서 $h(x) \ge 0$이면 정적분과 넓이의 관계에 의해 $\int_a^b h(x)dx \ge 0$이 성립한다. 따라서 식 (*)의 $k-1 \le x \le k$에서 $f(x)$가 증가함수이고 $g(x) \ge 0$임을 이용하면,

$$f\left(\frac{t}{n}\right)g(t) \le f\left(\frac{k}{n}\right)g(t) \Leftrightarrow f\left(\frac{k}{n}\right)g(t) - f\left(\frac{t}{n}\right)g(t) \ge 0$$ 로부터

$$\int_{k-1}^{k}\left(f\left(\frac{k}{n}\right)g(t) - f\left(\frac{t}{n}\right)g(t)\right)dx \ge 0$$이 성립한다. 이때, $\int_{k-1}^{k} f\left(\frac{k}{n}\right)g(t)dt = f\left(\frac{k}{n}\right)\int_{k-1}^{k} g(t)dt$

이고,

$g(x)$는 주기가 1인 함수임을 이용하면 위의 식 (*)에서

$$a_n = \frac{1}{n}\sum_{k=1}^{n}\int_{k-1}^{k} f\left(\frac{t}{n}\right)g(t)dt \le \frac{1}{n}\sum_{k=1}^{n}f\left(\frac{k}{n}\right)\int_{k-1}^{k} g(t)dt = \left(\frac{1}{n}\sum_{k=1}^{n}f\left(\frac{k}{n}\right)\right)\int_0^1 g(t)dt$$

가 성립한다. 따라서 (3−1)에서 구한 적분값 $\int_0^1 g(t)dt = \frac{1}{2}$를 대입하면

$$a_n \le \frac{1}{2n}\sum_{k=1}^{n}f\left(\frac{k}{n}\right)$$이 성립한다.

(2−3)

(2−2)와 동일한 방법으로 모든 자연수 n에 대하여

$$\frac{1}{2n}\sum_{k=1}^{n}f\left(\frac{k-1}{n}\right) \le a_n \le \frac{1}{2n}\sum_{k=1}^{n}f\left(\frac{k}{n}\right)$$

이 성립하고, $\lim_{n\to\infty}\frac{1}{n}\sum_{k=1}^{n}f\left(\frac{k-1}{n}\right) = \lim_{n\to\infty}\frac{1}{n}\sum_{k=1}^{n}f\left(\frac{k}{n}\right) = \int_0^1 f(x)dx$이므로

$$\lim_{n\to\infty} a_n = \frac{1}{2}\int_0^1 f(x)dx$$이다.

한편,

$$\int_0^1 f(x)dx = \int_0^1 \frac{e^x}{1+e^x}dx = \int_0^1 \frac{(1+e^x)'}{(1+e^x)}dx = \int_0^1 (\ln(1+e^x))'dx = \ln(1+e) - \ln 2$$이므로

구하는 값은 $\ln\sqrt{\frac{1+e}{2}}$이다. $\left(\frac{1}{2}(\ln(1+e) - \ln 2),\ \frac{1}{2}\ln\left(\frac{1+e}{2}\right)\right.$ 모두 정답 $)$

14. 2021학년도 세종대 수시 논술 (D형)

[문제 1] 실수 전체의 집합에서 연속인 함수 $f(x)$가 상수 a에 대하여 다음 식을 만족한다.

$$\int_0^x f(t)dt = e^x - ae^{3x}\int_0^{\ln 3} e^{-t}f(t)dt$$

다음 물음에 각각 답하시오.

(1−1) 함수 $f(x)$와 실수 a를 각각 구하시오. (70점)

(1−2) 좌표평면의 $x < 0$인 부분에서 두 곡선 $y = f(x)$, $y = e^x$위에 각각 하나씩 점을 잡고, y축 위에 두 점을 잡아서 직사각형을 만들 때, 직사각형 넓이의 최댓값을 구하시오. (80점)

(1−3) 곡선 $y = f(x)$와 y축의 교점을 P라 하자. 직선 ℓ_1은 곡선 $y = f(x)$위의 점 P에서의 접선이고, ℓ_2는 x축과 평행하면서 곡선 $y = f(x)$에 접하는 직선이다. 곡선 $y = f(x)$와 두 직선 ℓ_1, ℓ_2로 둘러싸인 영역의 넓이를 구하시오. (80점)

[문제 2] 실수 전체의 집합에서 미분가능한 함수 $y = f(t)$는 다음 조건을 만족한다.

〈조건 〉
(가) $f(0) = 1$
(나) $t > 0$인 모든 실수 t에 대하여 $f'(t) > 0$이다.

$t \geq 0$에 대하여 매개변수 방정식

$$x(t) = f(t)\cos(t^2 - 2t), \quad y(t) = f(t)\sin(t^2 - 2t)$$

로 정의되는 점 $\mathrm{P}(x(t), y(t))$가 있다. 임의의 양수 a에 대하여 $0 \leq t \leq a$에서 점 P가 움직인 거리가 $\int_0^a e^t\sqrt{4(t^2-1)^2 + (t+2)^2}\,dt$일 때, 다음 물음에 각각 답하시오.

(2−1) $f'(1)$을 구하시오. (80점)

(2−2) 모든 양의 실수 x에 대하여 $\left(f'(x) - (x+2)e^x\right)\left(f(x) - (x+1)e^x\right) \leq 0$가 성립함을 보이시오. (80점)

(2−3) $x \geq 0$에서 함수 $f(x)$를 구하시오. (80점)

(1−1)

$x = 0$을 대입하면 $0 = 1 - a\int_0^{\ln 3} e^{-t}f(t)dt$이므로 $a\int_0^{\ln 3} e^{-t}f(t)dt = 1$이다. 따라서

$\int_0^x f(t)dt = e^x - e^{3x}$이다.

양변을 x에 대하여 미분하면 $f(x) = e^x - 3e^{3x}$이다.

$$1 = a\int_0^{\ln 3} e^{-t}f(t)dt = a\int_0^{\ln 3}(1 - 3e^{2t})dt$$

이므로 $a = \dfrac{1}{\ln 3 - 12}$ 이다.

(1-2)

곡선 $y = f(x)$와 $y = e^x$은 **(그림 1)**과 같다.

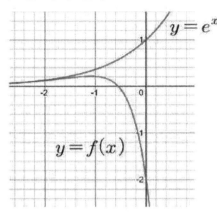

(그림 1)

꼭지점의 좌표는 $(x,\ e^x),\ (x,\ e^x - 3e^{3x}),\ (0,\ e^x),\ (0,\ e^x - 3e^{3x})$이므로, 직사각형의 넓이는 $A(x) = -3xe^{3x}$이다.

$A'(x) = -3e^{3x}(1 + 3x)$이므로, $A'\left(-\dfrac{1}{3}\right) = 0$이고, $x < -\dfrac{1}{3}$에서 $A'(x) > 0$이고,

$x > -\dfrac{1}{3}$에서 $A'(x) < 0$이다. 따라서 함수 $A(x)$는 $x = -\dfrac{1}{3}$에서 최대가 되고, 최댓값은

$A\left(-\dfrac{1}{3}\right) = e^{-1}$이다.

(1-3) $f'(x) = e^x - 9e^{3x} = e^x(1 - 9e^{2x})$이므로, $f'(-\ln 3) = 0$이고, $x < -\ln 3$에서 $f'(x) > 0$이고, $x > -\ln 3$에서 $f'(x) < 0$이다.

따라서 함수 $f(x)$는 $x = -\ln 3$에서 최대가 되고, 이때 최댓값은 $f(-\ln 3) = \dfrac{2}{9}$이므로, 직선 ℓ_2의 방정식은 $y = \dfrac{2}{9}$이다. $f(x) = e^x - 3e^{3x}$이므로, $\text{P} = (0,\ -2)$이다. $f'(0) = -8$이므로 접선 ℓ_1의 방정식은 $y = -8x - 2$이다. $-8x - 2 = \dfrac{2}{9}$로부터 직선 ℓ_1과 ℓ_2의 교점의 x좌표는 $-\dfrac{5}{18}$이다. 따라서 곡선 $y = f(x)$와 직선 ℓ_1, ℓ_2로 둘러싸인 영역의 넓이는 다음과 같다.

$$\int_{-\ln 3}^{-\frac{5}{18}} \left(\frac{2}{9} - e^x + 3e^{3x}\right)dx + \int_{-\frac{5}{18}}^{0} \left(-8x - 2 - e^x + 3e^{3x}\right)dx = \frac{2}{9}\ln 3 - \frac{1}{81}$$

(그림 2)

[1-3 별해] 영역의 넓이를 구할 때, 도형의 넓이를 이용하여 $\dfrac{2}{9}\ln 3-\dfrac{1}{81}$ 를 구할 수도 있다.

[문제 2]
(2-1)

$$\frac{dx}{dt}=f'(t)\cos(t^2-2t)-f(t)(2t-2)\sin(t^2-2t)$$

이고

$$\frac{dy}{dt}=f'(t)\sin(t^2-2t)+f(t)(2t-2)\cos(t^2-2t)$$

이므로

$$\left(\frac{dx}{dt}\right)^2+\left(\frac{dy}{dt}\right)^2=(f'(t))^2+f(t)^2(2t-2)^2$$

이다.

$$\left(\frac{dx}{dt}\right)^2+\left(\frac{dy}{dt}\right)^2=(f'(t))^2+f(t)^2(2t-2)^2$$

이다.

$$\int_0^x \sqrt{(f'(t))^2+f(t)^2(2t-2)^2}\,dt=\int_0^x e^t\sqrt{4(t^2-1)^2+(t+2)^2}\,dt$$

이므로

$$\sqrt{(f'(x))^2+f(x)^2(2x-2)^2}=e^x\sqrt{4(x^2-1)^2+(x+2)^2}$$

이다. 따라서 모든 양의 실수 x에 대하여

$$(f'(x))^2+f(x)^2(2x-2)^2=e^{2x}\big(4(x^2-1)^2+(x+2)^2\big)$$

이므로 $x=1$을 대입하면 $(f'(1))^2=9e^2$이고 $f'(1)=3e$이다.

(2-2) 위의 풀이

$$(f'(x))^2 + f(x)^2(2x-2)^2 = e^{2x}\big(4(x^2-1)^2 + (x+2)^2\big)$$

에서

$$(f'(x))^2 = -f(x)^2(2x-2)^2 + e^{2x}\big(4(x^2-1)^2 + (x+2)^2\big)$$

이다.

$$(f'(x))^2 - (x+2)^2 e^{2x} = -f(x)^2(2x-2)^2 + 4e^{2x}(x^2-1)^2 = (2x-2)^2\big(-f(x)^2 + e^{2x}(x+1)^2\big)$$

이므로

$$\big(f'(x)^2 - (x+2)^2 e^{2x}\big)\big(f(x)^2 - (x+1)^2 e^{2x}\big) = -(2x-2)^2\big(f(x)^2 - (x+1)^2 e^{2x}\big)^2 \le 0$$

이다.

$f'(x) + (x+2)e^x > 0$이고 $f(x) + (x+1)e^x > 0$이므로

$x \ge 0$일 때

$$\big(f'(x) - (x+2)e^x\big)\big(f(x) - (x+1)e^x\big) \le 0$$

이다.

(2-3) $a > 0$인 실수에 대하여

$$\int_0^a \big(f'(x) - (x+2)e^x\big)\big(f(x) - (x+1)e^x\big)dx \le 0$$

이고

$$\int_0^a \big(f'(x) - (x+2)e^x\big)\big(f(x) - (x+1)e^x\big)dx$$
$$= \left[\frac{1}{2}\big(f(x) - (x+1)e^x\big)^2\right]_0^a = \frac{1}{2}\big(f(a) - (a+1)e^a\big)^2 \le 0$$

이므로 $f(a) = (a+1)e^a$이고 $f(x)$의 연속성으로부터 모든 실수 $x \ge 0$에 대해
$f(x) = (x+1)e^x$이다.

[2-3 별해] $g(x) = \big(f(x) - (x+1)e^x\big)^2$라 할 때 $g(x) \ge 0$이다. **(2-2)**의 결과에 의해 양수 x에 대하여

$$g'(x) = 2\big(f'(x) - (x+2)e^x\big)\big(f(x) - (x+1)e^x\big) \le 0$$

이다.

$g(0) = 0$이고 양수 x에 대하여 $g(x)$가 감소함수이므로 $g(x) \le 0$이다.

따라서 $g(x) = 0$이다. 그러므로 모든 실수 $x \ge 0$에 대해 $f(x) = (x+1)e^x$이다.

15. 2021학년도 세종대 모의 논술

[문제 1] 점 $P(x,y)$가 점 $A(2,0)$에서 출발하여 선분 AB를 따라 점 $B(0,1)$로 움직이고 있다. 삼각형 $\triangle OPA$의 넓이를 S라 할 때, 시간 t에 대한 S의 변화율 $\dfrac{dS}{dt} = c$는 양의 상수이다.

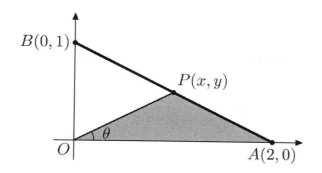

(1-1) $\angle POA = \theta$일 때, S를 θ에 대한 함수로 나타내시오. (70점)

(1-2) (1-1)에서 구한 함수의 역함수가 존재함을 설명하시오. (80점)

(1-3) 시간 t에 대한 θ의 변화율 $\dfrac{d\theta}{dt}$가 최대가 되는 점 P의 좌표 (x, y)를 구하시오. (80점)

[문제 2] 상수함수가 아닌 다항함수 $f(x)$가 다음 두 조건을 만족시킨다.

> (조건 1) $f(0) = f(1) = 0$
>
> (조건 2) 양수 M에 대하여 $0 \le x \le 1$인 모든 실수 x에 대해 $|f''(x)| \le M$을 만족한다.

구간 $[0,1]$에서 함수 $|f(x)|$의 **최댓값**이 $|f(a)|$라 할 때, 다음 물음에 각각 답하시오. (단, a는 실수이다.)

(2-1) $f'(a) = 0$이 됨을 보이시오. (80점)

(2-2) $|f(a)| \le \dfrac{M}{8}$이 성립함을 보이시오. (80점)

(2-3) 문제의 조건을 만족시키는 다항함수 중에서 $|f(a)| = \dfrac{M}{8}$을 만족시키는 함수 (즉, (2-2)에서 등호가 성립하는 함수) f를 구하시오. (80점)

(1-1)

선분 OP의 길이를 r이라 하고, P점의 x좌표를 $r\cos\theta$, y좌표를 $r\sin\theta$라 두자. 선분 AB의 방정식이 $x + 2y = 2$이므로 $r = \dfrac{2}{\cos\theta + 2\sin\theta}$을 얻는다.

따라서 $S = \dfrac{1}{2} \times 2 \times r\sin\theta = \dfrac{2\sin\theta}{\cos\theta + 2\sin\theta}$이다.

(1-2) 항상 $\dfrac{dS}{d\theta} = \dfrac{2}{(\cos\theta + 2\sin\theta)^2} > 0$이다. 따라서 $S = S(\theta) : (0, \dfrac{\pi}{2}] \to (0,1]$는 θ에 대하여 항상 증가하는 일대일 대응이고 역함수가 존재한다.

(1-3) $\dfrac{d\theta}{dt} = \dfrac{d\theta}{dS}\dfrac{dS}{dt} = c\dfrac{1}{dS/d\theta} = \dfrac{c(\cos\theta + 2\sin\theta)^2}{2}$이다. $\dfrac{d\theta}{dt}$가 최대가 되기 위해서는

$$\dfrac{d^2\theta}{dt^2} = \dfrac{d}{dt}\left(\dfrac{d\theta}{dt}\right) = \dfrac{d}{d\theta}\left(\dfrac{c(\cos\theta + 2\sin\theta)^2}{2}\right)\dfrac{d\theta}{dt} = \dfrac{c^2}{2}(\cos\theta + 2\sin\theta)^3(-\sin\theta + 2\cos\theta) = 0 \quad \text{이}$$

다.

그런데 $0 < \theta \le \dfrac{\pi}{2}$이므로 $\cos\theta + 2\sin\theta > 0$이다. 따라서 $\sin\theta = 2\cos\theta$ 이고 $\cos\theta = \dfrac{1}{\sqrt{5}}$,

$\sin\theta = \dfrac{2}{\sqrt{5}}$을 얻는다. 따라서 $r = \dfrac{2}{\cos\theta + 2\sin\theta} = \dfrac{2}{\sqrt{5}}$이고, $x = r\cos\theta = \dfrac{2}{5}$,

$y = r\sin\theta = \dfrac{4}{5}$이다.

(2-1) 함수 f는 상수함수가 아니고, $f(0) = f(1) = 0$, $|f(x)| \ge 0$이므로 $|f(x)|$가 최댓값이 되는 $x = a$는 열린 구간 $(0,1)$에 속하고, $f(a) \ne 0$이다. $g(x) = |x|$라하면 g는 $x \ne 0$일 때, 미분 가능하며 $g'(x) = \pm 1$이다. 따라서, $k(x) = g \circ f(x) = |f(x)|$라 하면, $f(a) \ne 0$이므로 $k(x)$는 $x = a$에서 미분 가능하고, 구간 $[0,1]$에서 $k(x)$의 최댓값이 $|f(a)|$이므로, $\lim\limits_{h \to 0+} \dfrac{k(a+h) - k(a)}{h} \le 0$이고 $\lim\limits_{h \to 0-} \dfrac{k(a+h) - k(a)}{h} \ge 0$이고, 따라서 $k'(a) = 0$이다. 이제, 합성함수의 미분법을 이용하면 $0 = k'(a) = g'((f(a))f'(a) = \pm f'(a)$이고, 이로부터 $f'(a) = 0$이 된다.

(2-2) $0 \le a \le \dfrac{1}{2}$인 경우, $f'(a) = 0$임을 이용하면

$$f(a) = \int_0^a f'(x)dx = [xf'(x)]_0^a - \int_0^a xf''(x)dx = -\int_0^a xf''(x)dx$$

이므로 다음이 성립한다.

$$|f(a)| = \left|\int_0^a xf''(x)dx\right| \le \int_0^a x|f''(x)|dx \le M\int_0^a xdx = \dfrac{M}{2}a^2$$

또, $0 \le a \le \dfrac{1}{2}$이므로 $|f(a)| \le \dfrac{M}{8}$이 성립한다.

$\dfrac{1}{2} \le a \le 1$인 경우, $f'(a) = 0$임을 이용하면

$$f(a) = -\int_a^1 f'(x)dx = [(1-x)f'(x)]_a^1 - \int_a^1 (1-x)f''(x)dx = -\int_a^1 (1-x)f''(x)dx$$

186

이므로 다음이 성립한다.

$$|f(a)| = \left| \int_a^1 (1-x)f''(x)dx \right| \leq \int_a^1 (1-x)|f''(x)|dx \leq M\int_a^1 (1-x)dx = \frac{M}{2}(1-a)^2$$

또, $\frac{1}{2} \leq a \leq 1$이므로 $0 \leq 1-a \leq \frac{1}{2}$이고, $|f(a)| \leq \frac{M}{8}$이 성립한다.

(2-3) 임의의 양의 실수 M에 대해 $f(x) = \frac{M}{2}x(1-x)$라 두면, $f(0) = f(1) = 0$이고 $f''(x) = -M$이므로, f는 문제의 조건을 만족시키는 함수가 된다. 이때, $0 \leq x \leq 1$에서 함수 $|f(x)|$의 최댓값은 $x = \frac{1}{2}$일 때 $\frac{M}{8}$이 되어 (3-2)에서 등호가 성립하는 예가 된다

대학 합격을 위한
강력한 입시 전략서

값 33900 원

53400

9 791193 208885

ISBN 979-11-93208-88-5

일으킨바람